Jeunesse

LE CRIME
DE
L'ORIENT-EXPRESS

DU MÊME AUTEUR DANS
Vertige policier

Un privé chez les insectes
(la suite des aventures du scarabée)

AGATHA CHRISTIE

LE CRIME DE L'ORIENT-EXPRESS

Traduit de l'anglais par
Jean-Marc Mendel

Illustrations :
Boiry

PREMIÈRE PARTIE
LES FAITS

1

Un passager de marque sur le Taurus-Express

Il n'était que 5 heures, en ce petit matin d'hiver syrien. Le train auquel guides et horaires donnent le nom ronflant de Taurus-Express attendait le départ en gare d'Alep. La rame ne comportait, en tout et pour tout, qu'un wagon-restaurant, un wagon-lit, et deux voitures des réseaux de la région.

Au pied de la portière du wagon-lit, un lieutenant de l'armée française, en grande tenue, s'efforçait d'entretenir la conversation avec un petit homme fluet[1], emmitouflé jusqu'aux oreilles et dont on n'entrevoyait que le bout rougi de son nez et les deux extrémités d'une moustache en croc.

1. Mince, frêle.

Il faisait un froid polaire, et ce n'était certes pas une sinécure[1] que d'accompagner à la gare un étranger de marque. Mais le lieutenant Dubosc accomplissait vaillamment son devoir. Les mots aimables, en une langue admirablement châtiée[2], se succédaient sur ses lèvres. Il ignorait pourtant totalement les raisons de la venue en Syrie du petit homme. Bien sûr, comme toujours, des rumeurs avaient circulé. L'humeur du général dont il était le porte-fanion avait empiré de jour en jour. Et puis était arrivé ce Belge inconnu, d'Angleterre disait-on. Son séjour n'avait duré qu'une semaine, marquée par une étrange tension, et conclue par des événements sortant de l'ordinaire. Un officier de haut rang s'était donné la mort, un autre avait présenté sa démission. Et, tout d'un coup, la sérénité était revenue sur le visage des responsables. Les mesures militaires de sûreté avaient été assouplies. Quant au général, il avait rajeuni de dix ans.

Par hasard, Dubosc avait surpris un aparté[3] entre son chef et ce petit monsieur :

« Vous nous avez sauvés, *mon cher,* avait dit le général, si ému que sa grosse moustache grise en tremblait. Vous avez sauvé l'honneur de l'armée française, et vous nous avez évité un bain de sang ! Comment pour-

1. Quelque chose de facile à faire.
2. Très élégante.
3. Une phrase prononcée de manière à ce que les gens présents ne l'entendent pas – hormis celui auquel elle est adressée.

rais-je assez vous remercier d'avoir répondu à mon appel ?... D'avoir accepté de venir de si loin ?... »

L'inconnu – on disait qu'il s'agissait d'un certain M. Hercule Poirot – avait élaboré[1] une réponse fleurie, dont la phrase essentielle semblait être : « Et moi, mon général, comment aurais-je pu oublier que vous m'avez sauvé la vie ? »... Le général s'était alors récrié, affirmant qu'il n'en était rien. Et les deux hommes, après avoir dûment célébré l'amitié indéfectible de la France et de la Belgique, puis invoqué la gloire, l'honneur et autres notions exaltantes, s'étaient étreints avec chaleur et avaient mis fin à leur dialogue.

Le lieutenant Dubosc persistait à ne rien comprendre à ce dont il s'agissait. Mais il avait reçu pour tâche d'accompagner M. Poirot au départ du Taurus-Express. Et il y mettait tout le zèle et l'ardeur qu'on attend d'un jeune officier dont la carrière promet d'être brillante.

« Nous sommes aujourd'hui dimanche, dit-il. Demain soir lundi, vous serez arrivé à Istamboul. »

Il avait déjà fait cette observation à plusieurs reprises, mais les propos que l'on tient sur un quai de gare ont une fâcheuse tendance à sombrer dans le péché de répétition.

« C'est exact, répondit M. Poirot.

— Et j'ai cru comprendre que vous aviez l'intention d'y rester quelques jours...

1. Avait préparé soigneusement.

— Mais oui. Je n'ai jamais visité Istamboul. Et je ne me vois pas la traverser *comme ça* ! dit Hercule Poirot en claquant des doigts. Rien ne me presse. J'ai bien l'intention d'y passer quelques jours, en touriste...

— Sainte-Sophie est sublime », approuva le lieutenant Dubosc, qui ne l'avait jamais vue.

Une bise glaciale soufflait sur le quai, et les deux hommes étaient pris de frissons. Le lieutenant Dubosc regarda discrètement sa montre : 4 h 45, plus que cinq minutes !...

Il n'était pas sûr que son interlocuteur n'ait pas eu conscience de son coup d'œil subreptice[1], aussi se hâta-t-il d'ajouter :

« À cette période de l'année, il n'y a vraiment personne dans le train. »

Il fixait sans les voir les fenêtres du wagon-lit.

« Vous avez raison, approuva Hercule Poirot.

— Et espérons que le Taurus-Express ne sera pas bloqué par la neige !

— Ça arrive ?

— C'est déjà arrivé. Mais pas cette année...

— Eh bien, faisons d'ardentes prières ! reprit M. Poirot. La météo est vraiment mauvaise pour l'Europe centrale.

— Exécrable ! Apparemment, il tombe toute la neige que l'on veut sur les Balkans !...

---

1. Furtif.

— Et c'est la même chose en Allemagne, si j'en crois ce que j'ai entendu dire...

— Enfin, se hâta de préciser le lieutenant Dubosc, soucieux de prévenir tout blanc dans la conversation, demain soir, à 19 h 40, vous serez à Constantinople.

— Absolument », confirma Hercule Poirot.

Et, toujours dans le souci de ne pas laisser lui non plus son interlocuteur à quia, il ajouta :

« Je me suis laissé dire que Sainte-Sophie était sublime.

— Une splendeur. »

Le rideau de l'un des compartiments du wagon-lit avait été relevé, et une jeune femme se penchait au-dehors.

Depuis son départ de Bagdad le jeudi précédent, Mary Debenham avait bien peu dormi. Pas plus dans le train pour Kirkouk que dans la maison des Hôtes de Mossoul, et pas davantage dans le train, la nuit d'avant, elle n'avait pu trouver un vrai sommeil. Lasse d'être étendue tout éveillée dans un compartiment surchauffé, elle s'était levée pour jeter un coup d'œil au-dehors.

« Ce doit être Alep, se dit-elle. Et, naturellement, il n'y a rien à voir que cet interminable quai mal éclairé. » Les cris d'une violente altercation en arabe venaient on ne savait d'où. Et deux hommes discutaient en français, juste sous sa fenêtre. L'un était un officier, l'autre un petit homme à la moustache superlative. Elle esquissa un sourire : jamais elle n'avait vu créature à ce point emmitouflée. Il devait faire vraiment froid, ce qui expliquait que le chauffage du train soit tellement excessif. Elle tenta, sans y parvenir, de baisser plus bas la vitre.

Le conducteur du wagon-lit s'approcha des deux hommes. Le train était sur le point de partir, disait-il, et il serait sage que Monsieur gagne maintenant son compartiment. Le petit homme soulevait poliment son chapeau, et Mary remarqua son crâne en forme d'œuf. En dépit de ses tracas, Mary sourit : quel ridicule petit bonhomme ! Le genre de petit bonhomme que nul ne prend jamais au sérieux.

Le lieutenant Dubosc avait entamé le discours d'adieu qu'il avait préparé d'avance en vue de cette ultime minute. C'était parfait, balancé[1] à ravir, merveilleusement courtois. Pour ne pas être en reste, M. Poirot y répondit sur le même ton.

« *En voiture, monsieur* », insista le conducteur du wagon-lit.

M. Poirot obtempéra[2] avec un air d'infinie répugnance, suivi du conducteur. M. Poirot fit des signes de la main. Le lieutenant Dubosc salua, la main au képi. Et le train, dans une secousse qui ébranla toute la rame, démarra lentement.

« Enfin..., murmura M. Hercule Poirot.

— Brrr... », proféra le lieutenant Dubosc en mesurant à quel point il avait froid.

1. Équilibré, bien composé.
2. Obéit.

« Voilà, monsieur. »

D'un geste large, le conducteur du wagon-lit faisait admirer à Poirot les beautés de son compartiment et l'arrangement parfait de ses bagages.

« J'ai placé là la petite valise de Monsieur. »

Sa main discrètement tendue appelait un pourboire, et Hercule Poirot ne manqua pas d'y glisser un billet plié en quatre.

« Merci, monsieur, dit-il avec vivacité. J'ai les billets de Monsieur. Monsieur voudrait-il me confier son passeport ? J'ai cru comprendre que Monsieur interrompait son voyage à Istamboul ? »

M. Poirot acquiesça de la tête.

« J'imagine qu'il n'y a pas beaucoup de voyageurs.

— Non, monsieur. Nous n'avons que deux autres passagers. Des Anglais tous les deux. Un colonel qui rentre des Indes et une jeune personne qui vient de Bagdad. Monsieur a-t-il besoin d'autre chose ? »

Monsieur demanda une petite bouteille de Perrier.

Embarquer dans un train à 5 heures du matin constitue le comble de l'incommodité. L'aurore ne se lèverait pas avant deux bonnes heures. Ressentant les effets d'une nuit de sommeil inachevée, mais satisfait d'avoir mené à bien une mission délicate, M. Poirot se roula en boule dans un coin et s'endormit.

Il s'éveilla vers 8 heures et demie et se rendit au wagon-restaurant dans l'espoir d'une tasse de café brûlant. Il n'y trouva qu'une seule consommatrice, bien évidemment la jeune Anglaise dont avait parlé le conducteur. Elle était grande, mince et brune, et on lui aurait donné dans les vingt-huit ans. Sa façon méthodique de prendre son petit déjeuner comme sa brièveté dans sa manière d'ordonner au garçon de lui apporter un peu plus de café démontraient un long usage du monde et des voyages. Elle portait d'ailleurs un ensemble de voyage sombre, d'un tissu léger parfaitement adapté à la chaleur de serre du train.

M. Hercule Poirot, qui n'avait rien de mieux à faire, s'amusa à l'observer sans qu'elle en ait conscience.

C'était, estima-t-il, le genre de jeune femme capable de faire face sans embarras à toutes les circonstances de la vie, avec sang-froid et compétence. Il apprécia la régularité un peu austère de ses traits et la pâleur délicate de son teint, comme le jais[1] éclatant de ses cheveux aux ondulations sans fioritures et ses yeux gris, froids et indifférents. M. Poirot conclut cependant qu'elle avait trop l'air d'avoir les pieds bien sur terre pour qu'on puisse la qualifier de « jolie femme ».

Un nouveau personnage fit son entrée dans le wagon-restaurant. C'était un homme de haute stature, entre quarante et cinquante ans, au visage émacié et à la peau bronzée. Ses tempes grisonnaient à peine.

« Lui, c'est le colonel retour des Indes », pensa Poirot.

---

1. Noir très sombre.

L'homme s'inclina légèrement devant la jeune femme :

« 'jour, miss Debenham.

— Bonjour, colonel Arbuthnot. »

Le colonel tenait le dossier de la chaise située en face d'elle.

« Pas d'objection ?

— Mais non, voyons. Asseyez-vous.

— Vous savez, je ne suis guère bavard au petit déjeuner.

— J'espérais le contraire. Mais je ne vous en voudrai pas. »

Le colonel s'assit.

« Garçon ! » appela-t-il d'une voix de meneur d'hommes professionnel.

Sur quoi il commanda des œufs et du café.

Les yeux du colonel s'arrêtèrent un instant sur Hercule Poirot, puis se détournèrent, indifférents. Poirot, accoutumé à lire sans erreur dans les cerveaux britanniques, sut que l'officier avait pensé : « Encore un de ces maudits étrangers ! »

En bons Anglais, la jeune femme et le colonel ne se montrèrent pas bavards, se bornant à échanger quelques brèves remarques, puis elle se leva pour rejoindre son compartiment.

Au déjeuner, ils partagèrent de nouveau la même table et, comme le matin, n'accordèrent aucune attention au troisième passager. Cette fois, leur conversation fut plus animée qu'au petit déjeuner. Le colonel

Arbuthnot parla du Pendjab, et posa à la jeune femme quelques questions à propos de Bagdad où il était clair qu'elle avait tenu un emploi de gouvernante. Leur dialogue leur permit de se découvrir un certain nombre d'amis communs, ce qui eut pour effet immédiat de donner à leur attitude un tour moins compassé[1]. Ils évoquèrent longuement Tommy Untel et Jerry Telautre. Le colonel demanda à la jeune femme si elle rentrait tout droit en Angleterre ou si elle avait l'intention de s'arrêter à Istamboul.

« Non, je rentre d'une seule traite.

— N'est-ce pas un peu dommage ?

— J'ai déjà fait ce voyage il y a deux ans, et j'en ai profité alors pour passer trois jours à Istamboul.

— Je vois. Puis-je vous avouer que j'en suis heureux, parce que, moi aussi, je rentre sans m'arrêter. »

Le colonel s'inclinait gauchement, un peu rougissant.

« Je crois que notre colonel en pince[2] pour la jeune personne, pensa Poirot, égayé. Décidément, les voyages en train sont aussi pleins de périls que les traversées en paquebot... »

Miss Debenham, non sans une certaine réserve, répondit au colonel que ce serait en effet très agréable.

Le colonel, nota Poirot, raccompagna la jeune femme jusqu'à son compartiment. Plus tard, alors que le train traversait les paysages grandioses des monts

---

1. Protocolaire, guindé.
2. Trouve la jeune femme à son goût.

Taurus, ils se tinrent côte à côte dans le couloir pour admirer la majesté des Portes de Cilicie. La jeune femme laissa échapper un soupir, et Poirot, dans le couloir lui aussi, non loin d'eux, l'entendit murmurer :

« Que c'est beau ! Je voudrais... Comme je voudrais...

— Quoi donc ?

— Je voudrais pouvoir en jouir pleinement. »

Arbuthnot ne répondit pas. Mais sa mâchoire carrée se crispa et une sorte d'amertume passa sur son visage.

« Je donnerais tout au monde pour que vous soyez en dehors de tout cela, dit-il enfin.

— Taisez-vous, je vous en supplie. Taisez-vous !

— Ne vous inquiétez pas, dit-il tout en jetant à Poirot un regard à peine contrarié. Mais je ne supporte pas l'idée de vous savoir gouvernante. De vous imaginer soumise pieds et poings liés à des mères tyranniques et à des enfants insupportables. »

Elle rit, d'un rire un peu contraint.

« Oh ! ne croyez pas ça. Le mythe de la malheureuse gouvernante opprimée a bien du plomb dans l'aile. En fait, je vous garantis que c'est *moi* qui fais peur aux parents. »

Ils se turent. Arbuthnot se sentait peut-être honteux de s'être emporté.

« La comédie à laquelle il m'est donné d'assister n'est pas des plus nouvelles », se dit Poirot, pensif.

Il se souviendrait plus tard de sa réflexion.

Le train arriva en gare de Konya à 23 h 30. Les deux voyageurs britanniques descendirent pour se dégourdir les jambes et se mirent en devoir d'arpenter le quai couvert de neige.

M. Poirot avait d'abord pensé qu'il se satisferait d'observer l'activité de la gare sous la protection de sa vitre. Mais, au bout de dix minutes, il jugea qu'après tout, prendre un peu l'air ne lui ferait pas de mal. Il se livra à de prudents préparatifs, prenant soin de revêtir une armure composée de divers manteaux et écharpes, et d'envelopper de protections en caoutchouc ses bottines cirées à miroir. Ainsi attifé[1], il descendit avec précaution sur le quai, dont il parcourut toute la longueur. Ses pas le menèrent au-delà de la locomotive. C'est au son de leurs voix qu'il reconnut les deux silhouettes indistinctes cachées dans l'ombre d'un fourgon isolé.

« Mary... », disait Arbuthnot.

La jeune femme le coupa :

« Pas maintenant ! Pas maintenant ! Quand tout sera fini. Quand ce sera enfin derrière nous. À ce moment-là... »

M. Poirot, songeur, s'éloigna avec discrétion. Il avait à peine reconnu la voix normalement si froide et nette de miss Debenham...

« Bien curieux », se dit-il.

Le jour suivant, il pensa que les deux Britanniques

---

1. Habillé d'une manière un peu ridicule.

s'étaient sans doute disputés. Ils s'adressaient à peine la parole. La jeune femme, nota Poirot, arborait une expression d'anxiété. Des cernes profonds marquaient ses yeux.

Vers 14 h 30, le train s'arrêta soudain en rase campagne. Des têtes se montrèrent aux fenêtres. Un petit groupe d'hommes étaient descendus le long de la voie et observaient quelque chose sous le wagon-restaurant qu'ils se montraient les uns aux autres.

Poirot se pencha par la vitre et interrogea le conducteur du wagon-lit qui se hâtait. Le conducteur lui donna une rapide explication. Poirot rentra la tête et se retourna pour se trouver nez à nez avec Mary Debenham qui se tenait juste derrière lui.

« Que se passe-t-il ? demanda-t-elle en français, le souffle court. Pourquoi sommes-nous arrêtés ?

— Ce n'est rien, mademoiselle. Quelque chose a pris feu sous le wagon-restaurant. Rien de sérieux. On l'a éteint. Ils sont en train de réparer les dégâts. Il n'y a aucun danger, je vous assure. »

Elle fit un geste brusque, comme pour signifier qu'elle n'accordait aucune importance à l'éventualité d'un danger quelconque.

« Oui, oui. Je comprends bien. Mais l'heure !...

— L'heure ?

— Oui. Nous allons prendre du retard.

— C'est bien possible, reconnut Poirot.

— Mais nous ne pouvons pas nous permettre d'avoir du retard ! L'arrivée du train est prévue à 18 h 55. Et il faut encore traverser le Bosphore pour attraper à 21 heures le Simplon Orient-Express sur la rive européenne. S'il y a une heure ou deux de retard, nous allons manquer la correspondance.

— C'est bien possible », répéta Poirot.

Il fixait un regard inquisiteur sur Mary Debenham, dont les doigts pianotaient nerveusement la barre d'appui. Ses lèvres frémissaient.

« Est-ce si important pour vous ? demanda-t-il.

— Oui, oui. Absolument. Je dois attraper ce train. »

Elle se détourna et s'en fut rejoindre le colonel Arbuthnot.

Au demeurant, ses inquiétudes se révélèrent vaines.

Dix minutes après, le train repartit. Et il n'arriva à Haydapassar qu'avec cinq minutes de retard. Le mécanicien avait poussé les feux pour compenser en partie les minutes perdues.

Le Bosphore, ce soir-là, était agité, et M. Poirot n'apprécia guère sa traversée. Sur le bateau, il fut séparé de ses compagnons de voyage et ne les revit plus.

Dès son arrivée au pont de Galata, il se fit conduire sans plus attendre à l'hôtel Tokatlia.

2

L'hôtel Tokatlia

Dès son arrivée au *Tokatlia,* Poirot demanda à la réception une chambre avec salle de bains. Puis il se rendit au comptoir du concierge, pour savoir si du courrier était arrivé à son nom.

Il y avait trois lettres, et un télégramme. À sa vue, il fronça légèrement les sourcils. Ce n'était pas prévu.

Il prit cependant, comme toujours, tout son temps pour l'ouvrir avec des gestes précis. Les termes du message étaient sans équivoque :

Évolution qu'aviez prévue pour affaire Kassner intervenue subitement. Revenir toute urgence.

« Voilà qui est bien embêtant », murmura Poirot.

Il jeta un coup d'œil à la pendule.

« Je dois absolument repartir ce soir, dit-il au concierge. À quelle heure est le Simplon-Orient ?

— À 21 heures, monsieur.

— Pouvez-vous m'obtenir un compartiment ?

— Sans aucun doute, monsieur. À cette saison, il n'y a aucun problème. Les trains sont quasiment vides. Première ou seconde classe ?

— Première.

— Très bien, monsieur. Jusqu'où allez-vous ?

— Jusqu'à Londres.

— Bien, monsieur. Je vais vous prendre un billet pour Londres, et vous faire réserver un compartiment dans la voiture Istamboul-Calais. »

Poirot regarda une nouvelle fois la pendule. Il était 8 heures moins 10.

« Croyez-vous que j'aie le temps de dîner ?

— Mais sans aucun doute, monsieur. »

Le petit Belge hocha la tête. Il alla à la réception pour annuler sa chambre, et traversa le hall pour gagner le restaurant.

Alors qu'il commandait son menu au maître d'hôtel, une main se posa sur son épaule.

« Ça par exemple ! Alors ça, c'est un plaisir inattendu ! » dit une voix derrière lui.

Il se retourna pour voir un homme trapu, assez corpulent, déjà âgé, aux cheveux taillés en brosse. Le nouveau venu souriait à belles dents.

Poirot se dressa.

« Monsieur Bouc !

— Monsieur Poirot. »

M. Bouc, belge lui aussi, était l'un des directeurs de la Compagnie internationale des wagons-lits. Il connaissait l'ex-fleuron[1] de la police belge depuis des années.

« Vous voilà bien loin de chez vous, mon cher, dit M. Bouc.

— Bah ! un petit problème qui m'appelait en Syrie.

— Ah ! Et vous repartez... Quand cela ?

— Ce soir même.

— Formidable. Je pars ce soir aussi. Mais je ne vais que jusqu'à Lausanne, où du travail m'attend. Vous prenez le Simplon-Orient, j'imagine ?

— Oui. Je viens tout juste de demander à l'hôtel de me trouver un compartiment. J'avais bien l'intention de rester quelques jours, mais j'ai reçu un télégramme, et je rentre sans m'arrêter en Angleterre où m'attend une affaire d'importance.

— Ah..., soupira M. Bouc. Les affaires... Les affaires... Mais enfin, mon tout bon, vous êtes en haut de l'échelle maintenant !

— J'ai connu quelques succès », concéda Poirot avec une fausse modestie qui n'aurait pu tromper même le plus naïf.

M. Bouc se contenta de rire.

1. L'ex-meilleur enquêteur.

« On se revoit tout à l'heure. »

Sur ces entrefaites, Hercule Poirot se livra sans plus attendre à un exercice complexe : tenter d'éviter à ses moustaches tout contact avec son potage.

Pleinement satisfait de sa réussite sur ce point, Poirot, en attendant le plat suivant, examina les convives. Il n'y avait guère qu'une demi-douzaine de clients, et deux d'entre eux seulement attirèrent son attention.

Ils dînaient à une table proche de la sienne. Le plus jeune, un Américain de toute évidence, portait une trentaine sympathique. Mais c'était son compagnon qui intéressait Hercule Poirot.

Âgé de soixante à soixante-dix ans, il offrait, à quelque distance, l'allure affable d'un philanthrope[1]. Une chevelure légèrement dégarnie, front haut, une bouche souriante qui découvrait une rangée de dents artificielles d'une éclatante blancheur concouraient à lui conférer l'image même de la bienveillance. Mais ses yeux, étroits, perçants, malins, démentaient ce cliché. Et plus encore : alors que l'homme adressait une remarque à son commensal[2], son regard, au travers de la salle, croisa celui de Poirot qui y lut comme une étrange malveillance et une tension dépourvue de naturel.

Puis il se leva.

« Payez l'addition, Hector », dit-il d'une voix un

1. Homme qui met sa fortune au service des autres.
2. Celui qui dîne à la même table.

peu voilée, dont la douceur forcée paraissait dissimuler une violence latente[1].

Au moment où Poirot rejoignit son ami dans le hall, les deux inconnus quittaient l'hôtel, et le plus jeune surveillait l'embarquement de leurs bagages dans un taxi. Il ouvrit la porte en glace et dit :

« Le compte y est, Mr Ratchett. »

L'autre grommela un assentiment, et s'en fut.

« Dites donc, demanda Poirot, qu'est-ce que vous pensez de ces deux-là ?

— Ce sont des Américains, affirma M. Bouc.

— Incontestablement. Mais je voulais dire : que pensez-vous d'eux ?

— Le jeune homme semble tout à fait charmant.

— Et l'autre ?

— Pour vous dire la vérité, mon bon ami, je le trouve plutôt antipathique. Il m'a fait une impression désagréable. Et vous ?

— Quand il est passé près de moi, au restaurant, répondit Poirot après un court silence, j'ai éprouvé un sentiment bizarre. Comme si une bête sauvage – sauvage au sens de féroce, vous comprenez... – m'avait effleuré.

— Il a l'air pourtant tout ce qu'il y a de plus respectable.

— Précisément ! Son corps, ou mieux sa cage, si

1. Contenue.

vous préférez, paraît absolument respectable... mais le fauve guette au travers des barreaux.

— Vous vous faites des idées, très cher, lui reprocha M. Bouc.

— Peut-être bien. Mais je ne peux me défaire du sentiment qu'un être maléfique m'a côtoyé de vraiment trop près.

— Ce vieil Américain respectable ?

— Ce vieil Américain respectable.

— Admettons que vous ayez raison, dit gaiement M. Bouc. Il y a tant de cruauté en ce bas monde... »

La porte s'ouvrait sur le concierge de l'hôtel qui venait à eux, le visage soucieux et désolé.

« C'est incroyable, monsieur, dit-il à Poirot. Il n'y a pas moyen d'obtenir un compartiment de première classe sur ce train.

— Comment ? s'étonna M. Bouc. À cette période de l'année ? Il doit y avoir un voyage organisé de journalistes... Ou de politiciens.

— Je ne sais pas, monsieur, lui répondit respectueusement le concierge. Mais nous en sommes là.

— Bien, bien, dit M. Bouc à l'adresse de Poirot. N'ayez aucune inquiétude, mon cher ami. Je vais arranger ça. Il y a toujours un compartiment disponible. Le 16. Le conducteur y veille ! »

Il eut un large sourire, consulta sa montre, et reprit :

« Venez. Il est temps d'y aller. »

À la gare, M. Bouc fut accueilli avec déférence[1] et empressement par un conducteur des Wagons-Lits, en uniforme brun.

« Bonsoir, monsieur le directeur. Vous avez le compartiment numéro 1. »

Il héla les porteurs qui poussèrent leurs diables jusqu'au milieu de la voiture dont les plaques proclamaient l'itinéraire :

ISTAMBOUL – TRIESTE – CALAIS

« Qu'est-ce que c'est que cette histoire ? C'est plein, ce soir ?

— C'est incompréhensible, monsieur le directeur. La Terre entière s'est donné rendez-vous pour partir cette nuit !

— Oui. Mais ça n'empêche pas qu'il faut trouver un compartiment à ce monsieur qui est de mes amis. Donnez-lui le 16.

— Il est déjà pris, monsieur le directeur.

— Quoi ? Le 16 ? »

M. Bouc eut un regard d'incompréhension, et le conducteur sourit. Il était grand, d'âge moyen, le teint olivâtre.

« Mais oui, monsieur le directeur. Comme je vous l'ai dit, nous sommes au complet. Tout est pris.

— Qu'est-ce qui peut bien se passer ? gronda

1. Marques de grand respect.

M. Bouc. Il y a une conférence quelque part ? Ou bien c'est un groupe ?

— Non, monsieur le directeur, c'est vraiment le hasard. Il y a simplement une foule de gens qui ont décidé de voyager ce soir. »

M. Bouc fit claquer sa langue pour marquer sa contrariété.

« À Belgrade, on va raccrocher au train la voiture qui vient d'Athènes et la Bucarest-Paris, et le problème sera résolu. Mais nous n'arrivons à Belgrade que demain soir. Est-ce qu'il ne reste pas au moins un lit de seconde classe ?

— Il y en a bien un, monsieur le directeur, mais...

— Oui...

— Je ne peux le donner qu'à une dame. Dans ce compartiment, il y a déjà une Allemande, la femme de chambre d'une de mes passagères.

— Alors *là*, ça passe les bornes !

— Ne vous tourmentez pas, mon bon ami, l'apaisa Poirot. Je peux voyager dans une voiture ordinaire.

— Il n'en est pas question ! » s'insurgea M. Bouc.

Puis au conducteur :

« Tous les passagers sont là ?

— Il est vrai, répondit le conducteur d'une voix hésitante, qu'il y en a un qui n'est pas encore arrivé.

— Alors ?

— C'est le lit n° 7, monsieur le directeur. Seconde classe. Nous n'avons pas encore vu ce monsieur et il est déjà 20 h 56.

— Qui est-ce ?

— Un Anglais, répondit le conducteur après avoir consulté sa liste. Un certain Mr Harris.

— C'est un nom de bon augure, dit Poirot. J'ai lu Dickens, et je peux vous garantir que ce Mr Harris ne se présentera pas avant le départ.

— Mettez les bagages de monsieur au numéro 7, ordonna M. Bouc. Et si ce Mr Harris arrive, dites-lui qu'il est trop tard. Qu'il a dépassé l'heure limite pour les réservations. Nous trouverons bien un arrangement si nécessaire. Pourquoi me soucierais-je d'un Mr Harris ?...

— À vos ordres, monsieur le directeur. »

Le conducteur indiqua au porteur de Poirot où déposer ses valises, puis s'écarta de la portière pour laisser monter Poirot.

« Tout au bout, monsieur, dit-il. L'avant-dernier compartiment. »

Poirot parcourut toute la longueur du couloir, assez lentement car la plupart des passagers étaient sortis de leur compartiment. À chacun de ses « Pardon » polis, un « Je vous en prie » était répondu avec la régularité d'un métronome. Quand il atteignit enfin son compartiment, ce fut pour y trouver le jeune Américain de l'hôtel Tokatlia qui attrapait l'une de ses valises.

Il fronça les sourcils en voyant entrer Poirot.

« Je vous demande pardon, dit-il. Mais je crois que vous vous trompez. »

Et il ajouta, dans un français approximatif :

« *Je crois que vous avez un erreur.* »

Poirot préféra lui répondre dans son anglais bancal :

« Vous êtes Mr Harris ?

— Non. Je m'appelle MacQueen. Je... »

Il fut interrompu par la voix essoufflée du conducteur qui s'adressait à lui par-dessus l'épaule de Poirot.

« Il n'y a plus de lit disponible dans le train, s'excusait-il, et il m'a fallu mettre Monsieur avec vous. »

Pendant qu'il parlait, il abaissait la vitre du couloir et hissait dans le wagon-lit les bagages de Poirot que lui tendait le porteur.

Poirot s'était amusé de remarquer le ton désolé du conducteur. Sans doute avait-il bénéficié d'un généreux pourboire pour conserver le compartiment au seul usage du jeune voyageur. Mais quand un directeur de la Compagnie des wagons-lits se trouve à bord du train et donne des ordres, même les pourboires les plus généreux perdent de leur efficacité.

Le conducteur sortit du compartiment après avoir placé les valises dans les casiers à bagages.

« Voici, monsieur, dit-il. Tout est en ordre. Le lit de Monsieur est celui du dessus, le 7. Nous partons dans une minute. »

Il s'élança dans le couloir, et Poirot put revenir dans le compartiment.

« Voilà un phénomène que j'ai rarement eu l'occasion d'observer, fit-il remarquer sur le ton de la plaisanterie. Un conducteur des Wagons-Lits qui range lui-même des valises ! C'est quasiment sans précédent ! »

Son compagnon de voyage sourit avec bonne humeur. Il ne marquait plus aucune contrariété. Sans doute avait-il décidé qu'il n'avait rien de mieux à faire que d'accepter la situation avec philosophie.

« Ce train est extraordinairement plein », observa-t-il.

Le mécanicien donna un coup de sifflet et la locomotive exhala un rugissement mélancolique. Poirot et MacQueen sortirent dans le couloir.

« En voiture ! cria une voix sur le quai.

— Nous voilà partis », dit MacQueen.

Mais ce n'était pas encore tout à fait le cas. Le sifflet retentit à nouveau.

« Vous savez, monsieur, dit soudain le jeune homme, si vous préférez le lit du bas... Il est plus commode... Moi, ça m'est égal...

— Non, non, protesta Poirot. Je ne veux pas vous priver...

— Allons, je vous en prie...

— Vous êtes vraiment trop aimable... »

Et ainsi de suite, d'un côté comme de l'autre.

« Ce ne sera que pour une nuit, conclut Poirot. À Belgrade...

— Ah bon. Vous descendez à Belgrade...

— Pas exactement. Mais, vous comprenez... »

Avec une série de secousses, le convoi s'ébranla. Les

deux hommes se mirent à la fenêtre pour regarder le quai interminable dont les lumières paraissaient glisser lentement devant eux.

L'Orient-Express venait d'entamer son long voyage de trois jours à travers l'Europe.

3

Poirot décline une offre

Le jour suivant, M. Hercule Poirot arriva assez tard au wagon-restaurant pour déjeuner. Il s'était levé tôt, avait pris un petit déjeuner solitaire, et avait consacré sa matinée à relire ses notes sur l'affaire qui le ramenait à Londres. Il n'avait pratiquement pas vu ses compagnons de voyage.

M. Bouc était déjà installé. Il adressa à Poirot un geste de bienvenue et lui fit signe de venir s'asseoir en face de lui. Hercule Poirot se trouva ainsi dans la situation très favorisée de celui dont la table est servie la première et bénéficie des meilleurs morceaux. Qui plus est, l'équipe de la cuisine semblait faire un effort particulier pour eux.

M. Bouc accordait toute son attention à sa nourriture. Et il attendit qu'un fromage délicieusement crémeux leur soit servi pour s'intéresser à autre chose. Il en était, il est vrai, parvenu à ce stade d'un repas où le propos s'élève volontiers aux idées générales.

« Ah ! il me faudrait la plume de Balzac..., soupira-t-il en montrant, de la main, l'ensemble du wagon-restaurant. Voilà un tableau que j'aimerais à dépeindre !

— C'est une idée intéressante, approuva Poirot.

— Vous êtes bien d'accord ? Je crois que personne ne l'a encore tenté. Et, cependant, quelle matière romanesque nous avons là ! Regardez, tout autour de nous, ces gens de toutes les classes sociales, de toutes les nationalités, de tous les âges... Et, pendant trois jours, ces gens qui ne se connaissent pas le moins du monde se trouvent rassemblés. Ils dorment et mangent sous le même toit, et ils ne peuvent échapper les uns aux autres. Et, au bout de ces trois jours, chacun va reprendre sa propre route, et il est probable qu'ils ne se reverront jamais plus.

— Certes, dit Poirot. Mais imaginez qu'il y ait un accident...

— Ah non ! mon cher ami, je vous en prie !

— Je reconnais que, de votre point de vue, ce serait regrettable. Mais essayons quand même de l'imaginer. Dans cette hypothèse, il y aurait un lien entre tous ceux qui se trouvent ici... Je veux dire la mort...

— Reprenez un peu de vin, coupa abruptement M. Bouc en remplissant le verre de son compagnon.

Je vous trouve morbide[1], mon cher. Ce doit être la digestion.

— Il est vrai, admit Poirot, que ce que j'ai mangé en Syrie n'a peut-être pas réussi à mon estomac. »

Il but quelques gorgées de vin. Puis, s'appuyant au dossier de la banquette, il laissa son regard errer au hasard. Il y avait là treize convives, de toutes les couches sociales et de toutes les nationalités, comme l'avait si bien dit M. Bouc. Il les observa plus attentivement.

Trois hommes étaient attablés juste en face d'eux, de l'autre côté de l'allée centrale. Poirot estima qu'il s'agissait de voyageurs de la catégorie la moins relevée, placés ensemble par le jugement sans faille[2] du personnel de service. Un gros Italien noiraud se curait les dents avec délices. Son vis-à-vis, un Anglais mince et pâle, du genre réservé et à la mise impeccable, observait le spectacle de l'œil désapprobateur du valet de chambre stylé. À côté de lui siégeait un Américain corpulent en costume criard, probablement un représentant de commerce.

« Y a qu'un système ! proclamait-il d'un ton nasillard. Les gens, faut leur en coller plein la vue ! »

L'Italien brandit son cure-dent.

« Ça, c'est sour. Zé lé dis touzours. »

1. Obsédé par la mort.
2. Qui ne se trompe pas.

L'Anglais préféra se détourner vers la fenêtre, et toussoter sa réprobation[1].

Poirot changea d'objectif.

Seule à une petite table était assise, très droite, l'une des vieilles dames les plus laides qu'il ait jamais vues. Mais sa laideur, pleine de classe, ne provoquait aucune répulsion et, au contraire, elle fascinait. Elle portait la tête haute. Autour du cou, elle arborait un rang d'énormes perles qui – si invraisemblable que cela puisse paraître – étaient bel et bien naturelles. D'innombrables bagues couvraient ses doigts. Un manteau de zibeline[2] était jeté sur ses épaules. Une très petite toque, de la même fourrure, s'inclinait sur son visage de batracien[3] jaunâtre.

Elle donnait ses instructions au maître d'hôtel d'une voix claire et courtoise, mais parfaitement autoritaire :

« Vous aurez la gentillesse de faire porter dans mon compartiment une bouteille d'eau minérale et un grand verre de jus d'orange. Et, pour le dîner de ce soir, vous veillerez à me faire préparer du poulet sans sauce... Et un peu de poisson bouilli. »

Le maître d'hôtel répondit avec humilité qu'on se conformerait à ces instructions.

Elle eut un affable mouvement de la tête, puis se leva. Elle posa un instant son regard sur Poirot, puis

---

1. Le fait qu'il n'est pas d'accord.
2. Petit animal à la fourrure précieuse.
3. Grenouille ou crapaud.

se détourna, avec toute la nonchalance[1] d'une aristocrate indifférente.

« C'est la princesse Dragomirov, expliqua M. Bouc à mi-voix. Russe d'origine, naturellement. Son mari a eu la bonne idée de réaliser toute sa fortune avant la Révolution et de la réinvestir à l'étranger. Elle est prodigieusement riche. Et c'est une vraie cosmopolite[2] ! »

Poirot marqua son approbation. Il avait déjà entendu parler de la princesse Dragomirov.

« C'est vraiment une personnalité, reprit M. Bouc.

---

1. Insouciance.
2. Personne qui voyage et vit dans différents pays.

Laide comme les sept péchés capitaux, mais qui fait en sorte qu'on ne la prenne pas pour de la petite bière[1]. »

Poirot marqua une nouvelle fois son approbation.

Mary Debenham avait pris place à l'une des grandes tables en compagnie de deux autres femmes. La première, dans la quarantaine, portait un corsage à carreaux et une jupe de tweed. Elle avait une masse de cheveux d'un blond fadasse, rassemblés en un chignon mal fichu, des lunettes et un long faciès ingrat et douceâtre de brebis bêlante. Elle écoutait les propos que débitait la troisième avec la constance[2] d'un robinet d'eau tiède, sans prendre le temps de respirer ou de marquer un temps d'arrêt :

« ... Et alors ma fille m'a dit : “Dans ce pays-là, pas question d'appliquer les méthodes américaines”, voilà ce qu'elle m'a dit. Et puis elle m'a dit : “Ces gens-là sont paresseux de naissance. Ils n'ont aucun sens du temps.” Mais vous seriez quand même étonnée de voir ce que notre collège arrive à faire. Ils ont trouvé des professeurs remarquables. Je suis persuadée qu'il n'y a rien de tel que l'éducation. Il nous faut mettre en œuvre nos idéaux occidentaux et apprendre aux Orientaux à les suivre. Ma fille dit toujours... »

Le train plongea dans un tunnel, et le vacarme noya le reste.

Le colonel Arbuthnot était assis à la table suivante,

---

1. Pour rien.
2. Sans s'arrêter et toujours sur le même ton.

une petite. Il était seul... Son regard ne quittait pas la nuque de Mary Debenham. Cela n'aurait présenté aucune difficulté et, pourtant, ils n'étaient pas ensemble. Pourquoi ?

« Mary Debenham, pensa Poirot, s'y était peut-être opposée. Une gouvernante apprend à observer une certaine réserve. Il faut respecter les apparences. Et une jeune femme qui n'a que son travail pour vivre se doit de faire preuve de discrétion. »

Poirot observa ensuite l'autre partie du wagon-restaurant. Une femme entre deux âges, toute de noir vêtue, était installée tout au bout, contre la cloison. Son visage était large, et sans expression. Allemande ou Scandinave, jugea-t-il. Très probablement la femme de chambre allemande.

Venait ensuite un couple qui conversait avec vivacité. L'homme portait un costume de tweed souple, certainement coupé à Londres, mais il n'était pas anglais. La forme de sa nuque et la carrure de ses épaules trahissaient une origine étrangère. Un individu grand, et bien bâti. Quand il détourna la tête, Poirot put remarquer le profil et la moustache blonde bien fournie d'un homme très élégant, dans la trentaine.

Son épouse paraissait encore une jeune fille. Vingt ans, à vue de nez. Elle portait un tailleur noir moulant, et une adorable petite toque, noire également, était perchée sur sa tête, à cet angle impossible qu'exigeait la mode. Elle non plus n'était pas anglaise, mais son visage encadré de cheveux de jais était ravissant, avec son teint d'une pâleur extrême et ses grands yeux bruns. Elle tenait un très long fume-cigarette et ses ongles fraîchement manucurés brillaient d'un rouge éclatant. À son doigt resplendissait une grosse émeraude montée sur platine. Il y avait de la coquetterie dans son regard et dans sa voix.

« Elle est ravissante... Et chic, avec ça, murmura Poirot. Mari et femme, n'est-ce pas ?

— Sûrement, approuva M. Bouc. Ils appartiennent à l'ambassade de Hongrie en Turquie, je crois. Un bien beau couple... »

Il n'y avait que deux autres convives : MacQueen, le compagnon de compartiment d'Hercule Poirot, et Mr Ratchett, son patron. Ce dernier faisait face à Poirot et, pour la seconde fois, le petit détective put étudier sa physionomie peu avenante et noter la feinte bienveillance que démentaient les sourcils trop minces et les petits yeux cruels.

L'ombre qui passa sur les traits de Poirot n'échappa pas à M. Bouc.

« Vous regardez encore votre bête féroce ? » demanda-t-il.

Poirot acquiesça.

Ayant bu son café, M. Bouc sortit de table. Il avait commencé de déjeuner plus tôt que Poirot, et son repas s'était donc achevé plus rapidement.

« Je retourne à mon compartiment, dit-il. Quand vous aurez fini, venez me rejoindre. Nous ferons la causette.

— Ce sera avec plaisir. »

Poirot dégusta son café à petites gorgées et commanda une liqueur pour terminer. Le serveur, muni de sa caissette, passait de table en table pour recueillir le montant des additions. La voix de l'Américaine âgée s'éleva, à la fois stridente et plaintive :

« Ma fille me l'avait bien dit : "Prenez un carnet de bons de repas et vous n'aurez pas de problème. Pas le moindre problème." Mais ça ne marche pas. Apparemment, il y a dix pour cent en plus pour le service, et la bouteille d'eau minérale par-dessus le marché – bien bizarre d'ailleurs, cette eau-là. Ils ne sont pas fichus d'avoir de l'Évian ou de la Vichy, ce qui me paraît incroyable.

— C'est à cause... Enfin, ils sont obligés... Com-

ment dit-on en anglais ?... Obligés de servir l'eau du pays qu'on traverse, expliqua la dame au faciès moutonnier[1].

— Eh bien, moi, je trouve ça incroyable », reprit l'Américaine.

Elle lança un regard écœuré sur le tas de petite monnaie qui avait été déposé devant elle.

« Et qu'est-ce que c'est que ces machins qu'ils m'ont rendus ? C'est des dinars, ou je ne sais trop quoi. Ça ressemble à tout sauf à de l'argent. Ma fille m'avait dit... »

Mary Debenham repoussa sa chaise, eut un sourire impersonnel pour les deux autres femmes, et quitta la table. Le colonel Arbuthnot se leva, et la suivit. Sur quoi, rassemblant les espèces qu'elle méprisait tant, l'Américaine se leva à son tour, imitée par la moutonnière créature. Le couple hongrois était déjà parti. Ne demeuraient plus dans le wagon-restaurant que Poirot, Ratchett et MacQueen.

Ratchett dit quelques mots à MacQueen qui partit aussitôt, puis, au lieu de le suivre, vint s'asseoir inopinément[2] en face de Poirot.

« Auriez-vous l'amabilité de m'offrir une allumette ? demanda-t-il d'une voix douce, à peine nasillée[3]. Je m'appelle Ratchett. »

Poirot salua d'une imperceptible inclination. Puis il

1. Une figure qui ressemble à la tête d'un mouton.
2. Sans que cela ait été prévu.
3. Un peu comme s'il parlait du nez.

prit dans sa poche une boîte d'allumettes qu'il tendit à l'autre. Lequel s'en saisit mais ne s'en servit point.

« Je crois, reprit Ratchett, que j'ai le plaisir de parler à M. Hercule Poirot en personne. Est-ce bien le cas ? »

Poirot s'inclina encore.

« Vous êtes remarquablement informé, monsieur. »

Le détective ressentait une sorte de malaise en sentant ces étranges yeux perçants qui le détaillaient.

« Dans mon pays, nous avons l'habitude d'aller droit au but, poursuivit Ratchett. Je voudrais que vous vous chargiez d'un travail pour mon compte.

— Ma clientèle, monsieur, est aujourd'hui assez limitée, répondit Poirot, les sourcils froncés. Je n'accepte que très peu d'affaires.

— Oui, bien entendu, je le comprends. Mais ce que je vous propose, monsieur Poirot, signifie beaucoup d'argent. »

Et il répéta d'une voix doucereuse[1], insinuante :

« Vraiment beaucoup d'argent. »

Poirot garda le silence durant une bonne minute.

« Que souhaiteriez-vous que je fasse pour vous, Mr... Mr Ratchett ? interrogea-t-il enfin.

— Je suis riche, monsieur Poirot. Très riche. Et les hommes qui sont dans ma position ont des ennemis. J'ai un ennemi.

— Un ennemi seulement ?

---

1. Très douce, au point d'en devenir suspecte.

— Que signifie au juste cette question ? demanda Ratchett avec quelque aigreur.

— Je sais par expérience, monsieur, que, quand un homme est en position d'avoir, comme vous l'avez dit, des ennemis, il en a en général plus d'un. »

Ratchett parut soulagé par la réponse de Poirot.

« Oui, bien sûr, répondit-il vivement. Je comprends. Mais qu'il s'agisse d'un ennemi ou de plusieurs ennemis importe peu. Ce qui compte, c'est ma sécurité.

— Votre sécurité ?

— On m'a menacé de mort, monsieur Poirot. Et maintenant, croyez-moi, je suis un homme qui prend de grandes mesures de prudence. »

D'une poche de sa veste, il fit surgir un court instant un pistolet automatique de petite taille. Puis il ajouta, sombre :

« Je ne pense pas être du genre à me faire prendre au dépourvu. Mais j'estime que deux précautions valent mieux qu'une. Je suis sûr que vous êtes homme à m'en donner pour mon argent. Et rappelez-vous : il s'agit de *beaucoup* d'argent. »

Poirot demeura pensif de longues minutes. Mais nul n'aurait pu déchiffrer sur son visage de marbre la moindre trace de ses réflexions.

« Je regrette, monsieur, lâcha-t-il enfin. Je ne suis pas en mesure de vous donner satisfaction. »

L'autre lui lança un regard vif.

« Je m'en doutais, dit-il. Dites-moi votre chiffre.

— Vous ne m'avez pas compris, monsieur, expliqua

Poirot en secouant la tête. J'ai très bien réussi dans l'exercice de ma profession, et j'ai gagné assez d'argent pour pouvoir satisfaire aussi bien mes besoins que mes caprices. Désormais, je n'accepte plus d'affaires que dans la mesure où... Dans la mesure où, disons, elles piquent ma curiosité.

— Je vois. Vous ne manquez pas de souffle. Vingt mille dollars ne vous tentent pas ?

— Certainement pas.

— Si vous essayez d'obtenir davantage, n'y comptez pas. Je connais bien la valeur des choses et des services...

— Moi aussi, Mr Ratchett...

— En quoi mon offre vous déplaît-elle ? »

Poirot se leva.

« Si vous voulez bien me pardonner un propos aussi personnel, dit-il, c'est votre tête qui me déplaît, Mr Ratchett. »

Et il quitta le wagon-restaurant.

4

Un hurlement dans la nuit

Le Simplon-Orient-Express entra en gare de Belgrade à 20 h 45. L'horaire prévoyait un arrêt de trente minutes, aussi Poirot décida-t-il de descendre sur le quai, mais il ne s'y attarda pas. Le froid était vif et, si un auvent protégeait le quai lui-même, la neige tombait à gros flocons. Au moment où il allait remonter dans le wagon-lit, le conducteur, qui, conformément à l'usage, se tenait au pied de la portière, battant la semelle et agitant les bras pour se réchauffer, lui dit avec respect :

« Monsieur, les bagages de Monsieur ont été transportés dans le compartiment numéro 1, celui de M. Bouc.

— Mais où est donc passé M. Bouc ?

— Il s'est installé dans la voiture qui vient d'Athènes, à laquelle vient de nous raccrocher, monsieur. »

Poirot s'en fut à la recherche de M. Bouc. D'un geste, son ami rejeta ses protestations :

« Je vous en prie ! Vraiment, je vous en prie. C'est beaucoup plus commode comme ça. Puisque vous rentrez en Angleterre, vous serez beaucoup mieux dans la voiture directe pour Calais. En ce qui me concerne, je me trouve très bien ici. C'est calme. Il n'y a dans le wagon qu'un petit médecin grec et moi. Mais, mon cher ami, quelle nuit nous attend ! On me dit qu'on n'a pas vu autant de neige depuis des années. Espérons que nous ne serons pas bloqués. Je ne suis pas rassuré, je peux vous le dire. »

À 21 h 15, selon l'horaire, le train repartit. Peu après, Poirot souhaita une bonne nuit à M. Bouc et retourna dans sa propre voiture, en tête de la rame, juste derrière le wagon-restaurant.

La deuxième journée du voyage avait abattu les barrières sociales. Dans le couloir, devant la porte de son compartiment, le colonel Arbuthnot et MacQueen devisaient[1].

En voyant apparaître Poirot, MacQueen s'interrompit au beau milieu d'une phrase. Il semblait très surpris :

1. Conversaient.

« Mais je pensais que vous nous aviez quittés ! Vous m'aviez dit que vous descendiez à Belgrade !

— Vous m'avez mal compris, dit Poirot avec un sourire. Mais je m'en souviens, maintenant. Nous parlions de cela au moment où le train partait d'Istamboul.

— Mais alors, vos bagages ? Ils ont disparu !

— On les a changés de compartiment. Voilà tout.

— Ah ! je vois. »

Il reprit sa conversation avec le colonel, et Poirot poursuivit son chemin.

À deux compartiments du sien, Mrs Hubbard, l'Américaine prolixe[1], achevait un quasi-monologue destiné à la malheureuse au visage tristement ovin[2] – une Suédoise, semblait-il – et tenait absolument à lui prêter un magazine.

« Mais non, prenez-le, ma chère, disait-elle. J'ai beaucoup d'autres choses à lire. Mon Dieu, il fait un froid effrayant ! »

Elle eut pour Poirot un aimable petit signe de tête.

« Vous êtes trop gentille, dit la Suédoise.

— Mais pas du tout ! J'espère que vous dormirez bien et que votre migraine ira mieux demain matin.

— Ce n'est que le froid. Je vais me faire une tasse de thé.

— Vous avez de l'aspirine ? Vous en êtes sûre ? J'en ai à revendre. Eh bien, bonne nuit, ma chère. »

---

1. Qui parle beaucoup.
2. Comme celui d'un mouton.

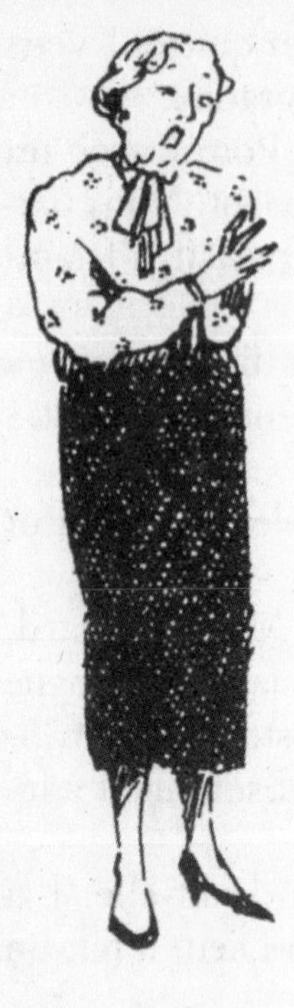

Mrs Hubbard se tourna vers Poirot.

« Pauvre créature ! Elle est suédoise. Si j'ai bien compris, elle est missionnaire... enseignante... Elle est charmante, mais elle ne parle pas bien l'anglais. Elle a été *très* intéressée par ce que je lui ai raconté de ma fille. »

Depuis le départ d'Istamboul, Poirot, comme tous ceux qui comprenaient l'anglais à bord du train – car il le *comprenait*, même s'il le massacrait chaque fois qu'il prononçait trois mots... Depuis le départ d'Istamboul donc, Poirot avait eu plus que le temps d'apprendre par le menu tout ce qui concernait la fille de Mrs Hubbard. Son mari et elle appartenaient au corps professoral d'un grand collège américain à

Smyrne. Mrs Hubbard, pour les voir, avait accompli son premier voyage en Orient, et elle n'avait caché à personne ce qu'elle pensait du débraillé des Turcs et de l'épouvantable état des routes en Turquie.

À côté d'eux, la porte d'un compartiment s'ouvrit, et le valet de chambre mince et pâle en sortit. Poirot aperçut Mr Ratchett assis dans son lit. En voyant Poirot, son visage, brusquement assombri de colère, changea d'expression.

Puis le valet referma la porte.

Mrs Hubbard tira Poirot par la manche.

« Cet homme me fait une peur bleue. Pas le valet de chambre, bien sûr, le maître. Un drôle de maître, je vous le dis ! Il y a quelque chose qui ne colle pas chez cet homme. Ma fille dit toujours que j'ai beaucoup d'intuition. "Quand maman a un pressentiment, elle est en plein dans le mille." Voilà ce qu'elle dit, ma fille. Et j'ai un pressentiment à propos de ce bonhomme. Son compartiment est juste à côté du mien, et ça ne me plaît pas. La nuit dernière, j'ai mis mes valises devant la porte de communication parce que j'avais l'impression qu'il essayait de tourner la poignée. Vous savez, je ne serais pas étonnée qu'on s'aperçoive que c'est un meurtrier, un de ces brigands qui écument les trains dont parlent les journaux. Je suis peut-être folle à lier, mais je n'y peux rien. J'ai une peur affreuse de ce bonhomme. Ma fille m'avait dit que j'aurais un voyage sans histoire, mais je ne suis vraiment pas à l'aise ! C'est idiot de ma part, mais je sens qu'il peut se passer n'importe quoi. Vraiment n'importe quoi. Et puis je n'arrive pas à comprendre comment ce garçon, qui est très sympathique, peut supporter d'être le secrétaire de cet individu... »

Le colonel Arbuthnot et MacQueen remontaient le couloir dans leur direction.

« Venez dans mon compartiment, disait MacQueen, il n'a pas encore été préparé pour la nuit. Mais voyez-vous, ce que j'aimerais bien comprendre à propos de la politique britannique aux Indes... »

Les deux hommes passèrent leur chemin et entrèrent dans le compartiment de MacQueen.

Mrs Hubbard prit congé de Poirot :

« Je crois que je m'en vais aller tout droit au lit, et lire un peu. Bonne nuit.

— Bonne nuit, madame. »

Poirot pénétra dans son compartiment, qui jouxtait celui de Ratchett. Il se déshabilla, se coucha et lut pendant une demi-heure avant d'éteindre la lumière.

Il se réveilla en sursaut quelques heures plus tard. Et il sut ce qui l'avait éveillé : une plainte stridente, presque un hurlement, qui provenait d'un endroit très proche. Au même instant, une sonnette d'appel vrilla[1] le silence.

Poirot s'assit et ralluma la lumière. Le train, nota-t-il, était à l'arrêt, probablement dans une gare.

Le hurlement l'avait glacé. Il se souvint que Ratchett

1. Déchira.

occupait le compartiment contigu. Il se leva et entrouvrit sa porte, pour apercevoir le conducteur du wagon-lit arriver et frapper à la porte de Ratchett. Poirot, par l'interstice, observait de tous ses yeux. Le conducteur frappa une seconde fois. À l'autre bout de la voiture, une sonnette retentit et une lampe clignota. Le conducteur regarda par-dessus son épaule.

Du compartiment voisin, une voix dit en français :

« *Ce n'est rien. Je me suis trompé.*

— *Bien, monsieur.* »

Le conducteur reprit le couloir en sens inverse pour frapper à la porte signalée par la lampe clignotante.

Poirot se recoucha, l'esprit soulagé, et consulta sa montre avant d'éteindre la lumière. Il était exactement 0 h 37.

5

Le crime

Poirot ne parvenait pas à se rendormir. Le grondement et les vibrations du train en mouvement lui manquaient. S'ils étaient vraiment à l'arrêt dans une gare, il y régnait un calme étrange. Et, par contraste, les bruits provenant du wagon-lit lui-même résonnaient d'une manière inhabituelle. Dans le compartiment voisin, il entendait Ratchett s'agiter. D'abord le déclic d'ouverture du couvercle du lavabo, puis un robinet tourné à fond, puis encore quelque chose comme un éclaboussement, et enfin un second déclic qui signalait que le couvercle du lavabo était cette fois refermé. Il y avait aussi des pas dans le couloir, les pas étouffés de quelqu'un portant des mules ou des pantoufles.

Allongé, sans retrouver le sommeil, Hercule Poirot contemplait le plafond. « Pourquoi diable, se demandait-il, cette gare est-elle aussi silencieuse ? » Il avait oublié, avant de se coucher, de demander une bouteille d'eau minérale, et il avait la gorge sèche. Un nouveau coup d'œil à sa montre. 1 h 15 à peine passée. Il décida de sonner le conducteur et de réclamer une bouteille d'eau. Son doigt atteignait déjà le bouton d'appel quand une sonnerie brisa le silence. Il retint son geste : le conducteur ne pouvait répondre à toutes les demandes à la fois.

Dring !... Dring !... Dring !...

La sonnerie ne cessait de retentir. Celui qui sonnait, homme ou femme, faisait preuve d'impatience.

Dring !...

Le sonneur devait avoir l'index collé au bouton.

Poirot entendit d'abord les pas précipités du conducteur qui arrivait en hâte et frappait à une porte proche de la sienne, puis deux voix. Celle, confuse et déférente, du conducteur. L'autre féminine, perçante et volubile[1].

La voix de Mrs Hubbard, bien sûr. Sous ses moustaches, Hercule Poirot esquissa un sourire.

L'échange de ce qui paraissait être d'assez vifs propos se prolongea un bon moment. Les arguments de Mrs Hubbard semblaient inépuisables. Quand la question qui faisait l'objet d'un débat aussi abondant

1. Qui parle beaucoup et vite.

fut apparemment réglée, Poirot entendit clairement un « Bonne nuit, madame », et le claquement du verrouillage de la porte du compartiment.

Il se décida à sonner. Le conducteur arriva sans attendre. Son front ruisselait et son visage était marqué par les soucis.

« De l'eau minérale, s'il vous plaît.

— Bien, monsieur. »

Sans doute le conducteur crut-il apercevoir une lueur de sympathie dans le regard de Poirot car il laissa échapper :

« La dame américaine...

— Oui ?... »

Le conducteur s'épongea le front.

« Elle vient de m'en faire voir de dures ! Elle est persuadée, vraiment persuadée, qu'il y a un homme dans son compartiment. Vous imaginez !... Dans un espace aussi petit !... Je me demande où il pourrait bien se cacher !... J'ai essayé de la raisonner, de lui démontrer que ce n'est pas possible. Mais elle a insisté. Elle m'a affirmé qu'elle s'était réveillée et qu'elle avait vu un homme. Je lui ai demandé comment il aurait bien pu faire pour s'en aller en fermant de l'intérieur, mais elle ne voulait rien entendre. Vraiment !... Comme si nous n'avions déjà pas assez de soucis !... Cette neige...

— La neige ?

— Oui, monsieur. La machine est prise dans une

congère[1]. Dieu seul sait combien de temps ça peut durer !... Une fois, je m'en souviens, nous avons été bloqués par la neige pendant toute une semaine.

— Où sommes-nous au juste ?

— Entre Vincovci et Brod.

— Oh ! là ! là ! » soupira Poirot.

Le conducteur s'absenta un instant et revint avec l'eau minérale.

« Bonsoir, monsieur. »

Poirot but un grand verre d'eau et se recoucha.

Il venait de trouver son premier sommeil quand il s'éveilla dans un sursaut. Il lui sembla cette fois que quelque chose venait de tomber juste derrière la porte du compartiment avec un bruit sourd. Il sauta de son lit et alla regarder. Rien. Rien, sauf une femme, drapée dans un kimono écarlate, au loin dans le couloir. À l'autre bout du wagon, le conducteur assis sur son siège inscrivait des chiffres sur de grandes feuilles de papier. Il régnait un silence de mort.

« Décidément, j'ai les nerfs en capilotade[2] », pensa Poirot. Il se remit au lit et parvint à dormir jusqu'au matin.

Au réveil, vers 9 heures, il releva le rideau et constata que d'énormes masses de neige cernaient le train.

Et à 10 heures moins le quart, pomponné et pommadé comme à son habitude, il fit son entrée au

---

1. Gros amas de neige sur la voie.
2. En piteux état.

wagon-restaurant où chacun se lamentait de conserve. Entre les passagers, rassemblés par leur malheur commun, toutes les barrières étaient tombées. La voix gémissante de Mrs Hubbard dominait le chœur des pleureuses :

« Et ma fille qui me disait que ce serait le voyage le plus facile du monde... Que je n'avais qu'à monter dans le train et que j'arriverais à Paris en moins de deux... Et maintenant, on est peut-être ici pour des jours et des jours... Et mon bateau qui appareille après-demain... Comment est-ce que je vais faire pour le prendre ?... Et même pas moyen de télégraphier pour annuler mon passage... Ça me rend folle !... »

L'Italien déplora les rendez-vous urgents qui l'attendaient à Milan. Et le gros Américain exprima sa sympathie d'un « C'est pas de pot, la brave dame », sans écarter l'idée que le train ne puisse rattraper son retard.

« Ma sœur... Ses enfants venir me chercher doivent, baragouina, en larmes, la Suédoise d'âge mûr. Rien leur dire je peux. Qu'est-ce qu'ils vont penser ? Ils vont croire que plein de malheurs j'ai eus !

— Combien de temps allons-nous rester plantés ici ? interrogeait Mary Debenham. Quelqu'un est-il vraiment au courant ? »

La voix de la jeune femme trahissait une certaine impatience, mais Poirot ne put s'empêcher de remarquer qu'elle n'avait plus rien de la fébrilité[1] anxieuse qu'il avait décelée lors de l'incident survenu au Taurus-Express.

Mrs Hubbard repartait de plus belle :

« Qu'est-ce que c'est que ce train ? Personne ne sait rien. Et personne ne fait rien. Ces étrangers sont tous des fainéants !... Chez nous, au moins, on essaierait de faire quelque chose !... »

Le colonel Arbuthnot se tourna vers Poirot, et commença, dans un français hésitant :

« *Vous êtes un directeur de la ligne, je crois, monsieur. Vous pouvez nous dire...* »

Poirot se hâta de le détromper.

« Non, pas du tout, répondit-il dans son anglais malhabile. Vous m'avez confondu avec mon ami, M. Bouc.

— Oh, je suis désolé.

— Je vous en prie. C'est normal. Je suis maintenant dans le compartiment qui était le sien. »

M. Bouc ne se trouvait pas dans le wagon-restaurant. Poirot se mit en devoir de relever les autres absences : la princesse Dragomirov, le couple hongrois, Ratchett, son valet de chambre, et la femme de chambre allemande.

La Suédoise s'essuyait les yeux.

« Ridicule je suis. Comme un bébé je pleure. Quoi qu'il arrive, c'est pour notre bien. »

---

1. Nervosité comme lorsqu'on a de la fièvre.

Mais cette résignation chrétienne n'était pas universellement partagée.

« Eh bien, tant mieux pour vous, dit MacQueen. Mais on peut rester là des années !...

— Et dans quel pays sommes-nous ? » geignit Mrs Hubbard.

Une voix répondit qu'ils se trouvaient au beau milieu de la Yougoslavie.

« Encore un de ces machins de Balkans ! On n'est pas sortis de l'auberge ! »

Poirot se tourna vers miss Debenham.

« Il n'y a que vous qui montrez un peu de patience, mademoiselle.

— Ce n'est pas la peine de s'énerver, répondit-elle en haussant les épaules.

— Vous êtes bien philosophe...

— Cela implique du détachement. Moi, je suis plus égoïste. J'ai appris à m'éviter les émotions inutiles. »

Elle parlait sans le regarder, les yeux fixés, au travers de la vitre, sur l'amoncellement de neige.

« Je vous trouve une très forte personnalité, la complimenta Poirot. Peut-être la plus forte de nous tous.

— Oh, non. Pas du tout. J'en connais au moins une qui est plus forte que la mienne.

— Qui est-ce donc ?... »

Mary Debenham parut soudain se ressaisir et se rappeler qu'elle s'adressait à un étranger, à un presque inconnu, avec lequel elle n'avait pas échangé jusqu'alors plus d'une douzaine de phrases. Elle eut un petit rire poli mais distant :

« Eh bien, la vieille dame, par exemple. Je suis sûre que vous l'avez remarquée. Elle est très vieille et très laide, mais elle me fascine. Il suffit qu'elle lève le petit doigt et demande quelque chose d'une voix polie... Et tout le monde dans le train se met à galoper.

— Tout le monde galope aussi pour mon ami M. Bouc, remarqua Poirot. Mais ce n'est pas pour son autorité naturelle. C'est seulement parce qu'il est l'un des directeurs de la Compagnie. »

Mary Debenham sourit.

La matinée s'étirait. La plupart des passagers, comme Poirot, avaient choisi de demeurer dans le wagon-restaurant. Vu les circonstances, rester ensemble paraissait le meilleur moyen de passer le temps. C'est ainsi qu'Hercule Poirot put en apprendre encore davantage sur la fille de Mrs Hubbard et sur les habitudes quotidiennes de feu Mr Hubbard, qui, sa vie durant, avait toujours commencé son petit déjeuner par des céréales et ne s'était jamais couché sans enfiler les chaussettes spéciales que Mrs Hubbard tricotait pour ce seul usage.

Il entendait ensuite un exposé long et confus sur les tenants et aboutissants[1] de la vocation missionnaire de la Suédoise quand un conducteur des Wagons-Lits s'approcha de lui.

---

1. Toutes les raisons pour lesquelles elle s'est engagée dans ce travail, et les conséquences qui en ont résulté.

« Pardon, monsieur.

— Oui ?

— M. Bouc présente ses compliments à Monsieur. Il serait très heureux que Monsieur puisse le rejoindre pour quelques minutes. »

Poirot se leva, grommela quelques mots d'excuse à l'adresse de la Suédoise, et suivit le conducteur qui n'était pas celui de sa voiture, mais un grand gaillard blond.

Ils traversèrent la première voiture-lit. Le conducteur frappa à la porte d'un compartiment de la suivante, puis s'effaça pour laisser Poirot entrer.

Le compartiment n'était pas celui de M. Bouc. C'était un compartiment de seconde classe, apparemment choisi pour ses dimensions supérieures. On avait le sentiment qu'il était bondé.

M. Bouc était assis sur un strapontin à côté de la fenêtre. Dans le coin opposé se tenait un petit bonhomme brun qui fixait la neige. Un homme en uniforme bleu – le chef de train –, debout, comme le conducteur de sa propre voiture, bloquait le passage.

« Vous voilà enfin, mon bon ami ! s'écria M. Bouc. Entrez ! Nous avons bien besoin de vous ! »

Le petit bonhomme brun étira ses jambes, les deux conducteurs se reculèrent, et Poirot put se glisser jusqu'à son ami, dont l'expression, selon une formule qu'il affectionnait, « lui donnait furieusement à penser ». Il était évident qu'un événement sortant de l'ordinaire était survenu.

« Qu'est-ce qui se passe ? demanda-t-il.

— Bonne question !... D'abord, le train est bloqué par la neige... Et ensuite... »

M. Bouc marqua un temps d'arrêt, que le conducteur mit à profit pour se manifester par une sorte de hoquet.

« Et ensuite ?...

— Ensuite, nous avons tout simplement un de nos voyageurs... *poignardé dans son lit* ! expliqua M. Bouc, avec des accents de désespoir.

— Un voyageur ?... Quel voyageur ?...

— Un Américain. Un certain... un certain Ratchett, si je ne me trompe, dit M. Bouc, qui ne quittait pas des yeux le dossier qu'il avait ouvert devant lui.

— C'est cela même, confirma le conducteur, livide.

— Laissez ce malheureux s'asseoir, intervint Poirot. Il va tourner de l'œil. »

Le chef de train s'écarta, tandis que le conducteur s'effondrait, la tête dans les mains.

« Voilà une affaire sérieuse ! trancha Poirot.

— Je pense bien que c'est sérieux ! reprit M. Bouc. Pour commencer, nous avons un meurtre sur les bras. Et comme si ça ne suffisait pas, la conjoncture est des plus pesteuses[1] !... Nous sommes bloqués ! Et ça peut durer des heures, ou des jours !... Et en plus... Dans d'autres pays, la police monte dans le

1. Défavorables.

train. Mais en Yougoslavie... Bernique[1] !... Ah ! nous voilà dans de beaux draps !...

— La situation est complexe, commenta Poirot.

— Et vous ne savez pas tout. Le Dr Constantine pense... Pardonnez-moi, j'ai oublié de vous présenter... Docteur Constantine... Monsieur Poirot... »

Les deux hommes se saluèrent.

« Le Dr Constantine pense que la mort est survenue vers 1 heure du matin.

— Dans ce domaine, il n'est jamais facile d'affirmer des certitudes, commenta le petit docteur. Mais je puis dire, sans risque de me tromper, que la mort est intervenue entre minuit et 2 heures du matin.

— À quelle heure a-t-on vu Mr Ratchett vivant pour la dernière fois ? interrogea Poirot.

— À 1 heure moins 20, Mr Ratchett était encore en vie puisqu'il a parlé au conducteur, expliqua M. Bouc.

— C'est exact, approuva Poirot. J'ai moi-même entendu leur conversation. Est-ce le dernier élément connu ?

— Oui. »

Poirot se tourna vers le médecin qui poursuivait son compte rendu :

« La fenêtre du compartiment de Mr Ratchett a été trouvée grande ouverte, ce qui laisserait à supposer que le meurtrier a pris la fuite par ce chemin. Mais, à

---

1. Interjection qui exprime la déception.

mon avis, cette fenêtre ouverte n'est qu'un attrape-nigaud. S'enfuir par là aurait laissé des traces dans la neige. Il n'y en a pas.

— Le crime, quand a-t-il été découvert ? demanda Poirot.

— Michel ! » appela M. Bouc.

Le conducteur se redressa. La pâleur de l'effroi marquait encore ses traits.

« Dites à ces messieurs ce qui s'est exactement passé, ordonna M. Bouc.

— La valet de ce Mr Ratchett a frappé plusieurs fois à sa porte ce matin, raconta Michel d'une voix heurtée. Il n'y a pas eu de réponse. Et, il y a à peu près une demi-heure, le maître d'hôtel du wagon-restaurant est passé. Il voulait savoir si ce monsieur déjeunerait. Il était 11 heures, vous comprenez. Je lui ai ouvert la porte du compartiment avec mon passe. Mais il y a une chaîne de sécurité, et elle était mise. Il n'y a pas eu de réponse. Tout était silencieux à l'intérieur, et il faisait un froid de canard. J'ai pensé que ce monsieur avait peut-être eu une attaque et j'ai appelé le chef de train. Nous avons brisé la chaîne et nous sommes entrés. Il était... *Ah ! C'était terrible !* »

Il enfouit de nouveau son visage dans ses mains.

« La porte était fermée de l'intérieur et la chaîne était mise, réfléchit Poirot. Mais ce n'était pas un suicide, c'est bien cela ? »

Le médecin grec eut un rire sardonique[1] :

« À votre avis, un homme qui se suicide peut-il se poignarder lui-même à dix, douze, quinze endroits différents ?

— Voilà une férocité peu ordinaire, dit Poirot, les yeux écarquillés.

— C'est sûrement une femme, dit le chef de train, prenant la parole pour la première fois. On ne peut pas s'y tromper, c'était une femme. Il n'y a qu'une femme pour poignarder un homme comme ça. »

Le Dr Constantine, pensif, secouait la tête.

« Si c'est une femme, dit-il, elle est d'une force peu commune. Je ne veux pas vous embrouiller avec le jargon médical, mais je peux vous donner l'assurance qu'un ou deux des coups ont été portés avec une telle force que la lame a traversé d'épais ensembles d'os et de muscles.

— À l'évidence, le crime n'a rien de scientifique, constata Poirot.

— Il est même totalement non scientifique, répondit le médecin. Les coups paraissent avoir été portés n'importe comment et au hasard. Dans certains cas, la lame a été déviée et n'a causé que des lésions mineures. Tout à fait comme si l'assassin avait fermé les yeux avant de frapper de manière frénétique.

— *C'est une femme,* répéta le chef de train. Les

1. Ironique.

femmes sont comme ça. Quand elles sont enragées, elles ont une force incroyable. »

Il hochait la tête avec tant de conviction que chacun imagina qu'il parlait d'expérience.

« Je peux peut-être apporter ma contribution à ce que vous savez déjà, reprit Poirot. Mr Ratchett m'a parlé, hier. Pour autant que j'aie pu le comprendre, il me disait qu'il se trouvait en danger de mort.

— Il a été descendu, pour reprendre l'expression américaine. Et l'assassin n'est pas une femme. C'est un gangster ou un tueur à gages », fit valoir M. Bouc.

En constatant l'abandon de sa propre théorie, le chef de train prit une expression affligée.

« Si c'est le cas, il a vraiment agi de façon bien artisanale, dit Poirot, d'une voix qui exprimait un certain mépris professionnel.

— Nous avons dans le train un énorme Américain, vulgaire, épouvantablement habillé, suggéra M. Bouc qui suivait sa petite idée. Il mâche de la gomme, ce qui, je crois, ne se fait pas chez les gens bien élevés. Vous voyez qui je veux dire ? »

Le conducteur, auquel s'adressait le propos, approuva :

« Oui, monsieur. Celui du numéro 16. Mais ça ne peut pas être lui. Je l'aurais vu entrer ou sortir de son compartiment.

— Peut-être que oui. Peut-être que non. Mais nous verrons plus tard. Pour le moment, la question c'est : que faire ? » dit M. Bouc en regardant Poirot.

Le détective lui rendit son regard.

« Allons, mon cher, reprit M. Bouc. Vous voyez très bien ce que je vais vous demander. Je connais vos capacités[1]. Prenez l'enquête en main ! Non, non, ne refusez pas ! Je m'exprime ici au nom de la Compagnie internationale des wagons-lits. Comme tout sera plus simple si nous pouvons offrir la solution sur un plateau à la police yougoslave quand elle finira par arriver ! Sinon, il y aura immanquablement des retards, des ennuis et des monceaux d'embarras. Peut-être même – qui sait ? – des ennuis pour des innocents... Tandis que, si vous trouvez la solution, nous n'aurons

1. Ce qu'il est capable de faire, ses compétences.

plus qu'à leur dire : “Un meurtre a été commis. Et voilà *le* coupable !”

— Et imaginez que je ne trouve pas la clef du mystère ?

— Ah, mon cher ! s'écria M. Bouc avec des inflexions qui devenaient charmeuses, je connais votre réputation. Et je connais vos méthodes. Pour vous, c'est vraiment l'affaire idéale. Vérifier les antécédents de tous ces gens, établir leur bonne foi, cela nous prendrait un temps fou et ce serait une source de problèmes sans fin. Mais ne vous ai-je pas entendu dire bien souvent que, pour résoudre une énigme, il suffit de s'allonger dans son fauteuil et de réfléchir ? Faites-le. Interrogez les passagers du train, allez voir le corps, étudiez les indices que vous pourrez trouver, et alors... Eh bien, je crois en vous ! Je sais que vous ne vous vantez pas bêtement. Allongez-vous et réfléchissez. Utilisez, comme je vous l'ai si souvent entendu dire, les petites cellules grises de votre intelligence. Et vous *trouverez.* »

Il se penchait avec affection vers son vieil ami.

« Votre foi en moi me touche beaucoup, mon cher, répondit Poirot, ému. Comme vous le dites, ce ne peut pas être une affaire difficile. Moi-même, la nuit dernière... Mais ne parlons pas de cela maintenant. À dire vrai, ce problème m'intrigue. Il n'y a pas une demi-heure, je déplorais en moi-même les longues heures d'ennui qu'il allait falloir subir tant que nous sommes

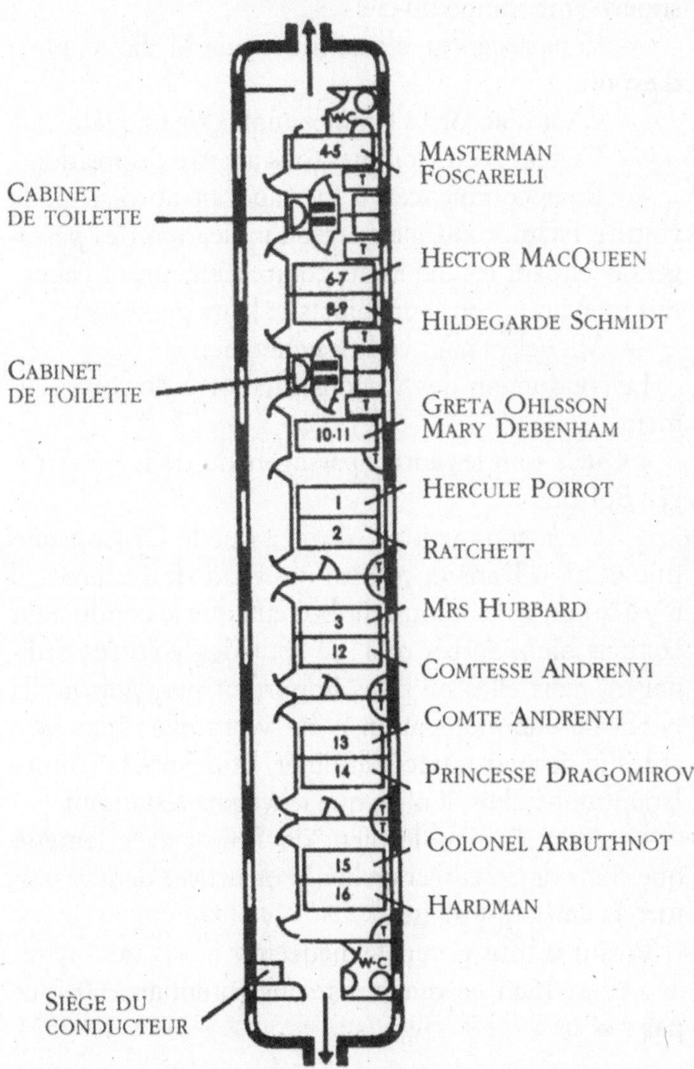
WAGON-
RESTAURANT
W-C
4-5
MASTERMAN
FOSCARELLI
CABINET
DE TOILETTE
T
HECTOR MACQUEEN
6-7
8-9
HILDEGARDE SCHMIDT
CABINET
DE TOILETTE
GRETA OHLSSON
MARY DEBENHAM
10-11
1
HERCULE POIROT
2
RATCHETT
MRS HUBBARD
3
12
COMTESSE ANDRENYI
COMTE ANDRENYI
13
14
PRINCESSE DRAGOMIROV
COLONEL ARBUTHNOT
15
16
HARDMAN
W-C
SIÈGE DU
CONDUCTEUR
VOITURE
ISTAMBOUL-CALAIS

bloqués ici. Et maintenant... Voilà qu'une énigme superbe me tombe du ciel.

— Vous acceptez, alors ? demanda M. Bouc, plein d'espoir.

— C'est d'accord ! Confiez-moi cette enquête.

— Parfait. Nous sommes tous à votre disposition.

— Pour commencer, il me faudrait un plan de la voiture Istamboul-Calais, avec l'indication des passagers occupant les différents compartiments, et j'aimerais bien aussi voir leurs billets et leurs passeports.

— Michel va aller vous les chercher. »

Le conducteur des Wagons-Lits sortit du compartiment.

« Quels sont les autres passagers du train ? interrogea Poirot.

— Dans cette voiture, il n'y a que le Dr Constantine et moi. Dans la voiture qui vient de Bucarest, il n'y a qu'un vieux monsieur boiteux que le conducteur connaît bien. Après cela, ce sont des voitures ordinaires, mais elles ne nous importent pas, puisque la porte de communication a été verrouillée hier soir, après le dernier service du dîner. Et devant la voiture Istamboul-Calais, il n'y a que le wagon-restaurant.

— Alors, il semble bien, dit Poirot avec lenteur, que nous devions rechercher le meurtrier dans la voiture Istamboul-Calais. »

Puis il se tourna vers le médecin.

« C'est bien ce que vous sous-entendiez, n'est-ce pas ? »

Le Grec approuva :

« Vers minuit et demi, le train a été pris dans ces congères. Et personne n'a pu le quitter depuis.

— *Le meurtrier est parmi nous, dans le train* », conclut M. Bouc non sans quelque solennité.

6

Une femme ?

« Avant toute chose, dit Poirot, je voudrais bien avoir un petit entretien avec ce jeune Mr MacQueen. Je suis sûr qu'il sait des choses utiles.

— C'est certain », répondit M. Bouc.

Et se tournant vers le chef de train :

« Allez nous chercher Mr MacQueen. »

Le chef de train quitta le compartiment au moment même où le conducteur revenait avec une pile de passeports et de billets. M. Bouc s'en empara.

« Merci, Michel. Je pense qu'il vaudrait mieux que vous regagniez votre poste. Nous pourrons consigner votre témoignage plus tard.

— Bien, monsieur le directeur. »

Et Michel, à son tour, sortit du compartiment.

« Docteur, demanda Poirot, quand nous aurons vu le jeune MacQueen, voudrez-vous m'accompagner pour voir notre mort ?

— Certainement.

— Puis, quand nous en aurons terminé... »

Le chef de train revenait, accompagné d'Hector MacQueen. M. Bouc se leva.

« Nous sommes serrés comme des sardines, ici, dit-il avec bonne humeur. Prenez ma place, Mr MacQueen, et M. Poirot se mettra en face de vous. »

Puis il se tourna vers le chef de train.

« Faites sortir tout le monde du wagon-restaurant, pour que M. Poirot y soit tranquille. Je pense que ce serait bien pour vos interrogatoires, mon cher.

— Oui, très commode », convint Poirot.

MacQueen avait de la peine à comprendre cet échange rapide de phrases en français, et ses yeux allaient de l'un à l'autre.

« *Qu'est-ce qu'il y a ? Pourquoi...* », commença-t-il dans un français hésitant.

Poirot lui désigna son siège d'un geste impératif. Le jeune Américain s'assit et reprit :

« *Pourquoi... ?* »

Puis, revenant à sa langue maternelle, il continua, fixant alternativement Poirot et M. Bouc :

« Qu'est-ce qui se passe dans ce train ? Il est arrivé quelque chose ?

— Exactement, dit Poirot en hochant la tête. Il est

arrivé quelque chose. Apprêtez-vous à un grand choc. *Votre patron, Mr Ratchett, est mort !* »

MacQueen siffla doucement entre ses dents. Peut-être écarquilla-t-il un peu les yeux, mais il ne montra guère de symptômes de choc ou de chagrin.

« Ils ont donc fini par l'avoir, se borna-t-il à constater.

— Que voulez-vous dire au juste, Mr MacQueen ? »

MacQueen paraissait hésiter.

« Vous partez de l'idée, reprit Poirot, que Mr Ratchett a été assassiné ?

— Ce n'est pas le cas ? demanda-t-il, visiblement étonné. Oui, vous aviez raison, c'est ce que je pensais. Qu'il ait pu mourir dans son sommeil me paraîtrait difficile à croire. Nom d'une pipe, le vieux était solide comme... comme... »

Il cherchait l'expression appropriée.

« Non, non, répondit Poirot. Votre hypothèse était juste. Mr Ratchett a bien été assassiné. Poignardé... Mais je voudrais savoir pourquoi vous étiez si persuadé qu'il s'agissait d'un meurtre, et non d'une mort naturelle ?

— Il faut d'abord que je sache, moi, où je mets les pieds, articula MacQueen. Qui êtes-vous ? Et qu'est-ce que vous venez faire là-dedans ?

— Je représente la Compagnie internationale des wagons-lits. Je suis détective, et je m'appelle Hercule Poirot. »

Si le petit Belge espérait impressionner son interlocuteur, il en fut pour ses frais. MacQueen se contenta d'un « Ah, bon... », et attendit la suite.

« Mon nom vous dit peut-être quelque chose ?

— Oui, je l'ai déjà entendu. Mais j'avais toujours cru qu'il s'agissait d'un grand couturier. »

Poirot le fixa avec dédain. Il n'avait jamais supporté d'être confondu avec Paul Poiret.

« C'est inimaginable ! lâcha-t-il.

— Qu'est-ce qui est inimaginable ?

— Rien. Poursuivons... Mr MacQueen, je voudrais que vous me disiez tout ce que vous pouvez savoir du défunt. Étiez-vous un de ses parents ?

— Non. Je suis... Enfin, j'étais... son secrétaire.

— Depuis combien de temps ?

— Une bonne année.

— Dites-moi tout ce que vous pouvez.

— Eh bien, j'ai rencontré Mr Ratchett il y a juste un peu plus d'un an, alors que je me trouvais en Perse...

— Que faisiez-vous là ? coupa Poirot.

— J'étais venu de New York pour m'occuper d'une concession pétrolière. Je pense que les tenants et aboutissants de tout ça ne vous intéressent pas. Quoi qu'il en soit, des amis et moi avions perdu beaucoup d'argent là-dedans. Mr Ratchett était descendu dans le même hôtel que moi, et il venait de renvoyer son secrétaire. Il m'a proposé de prendre la place, et j'ai accepté. J'étais au bout du rouleau[1], et j'ai été trop content de trouver tout de suite un job bien payé.

— Et depuis ?

— Nous avons beaucoup voyagé. Mr Ratchett voulait connaître le vaste monde. Mais il ne parlait pas d'autre langue que l'anglais, ce qui le gênait énormément. En fait, j'étais plus son accompagnateur que son secrétaire. J'ai mené une vie assez agréable.

— Maintenant, dites-moi tout ce que vous savez de votre patron. »

Le jeune homme haussa les épaules. Il paraissait perplexe.

---

1. Épuisé (familier).

« C'est plutôt difficile.

— Quelle était son identité ?

— Samuel Edward Ratchett.

— De nationalité américaine ?

— Oui.

— De quel État était-il originaire ?

— Je l'ignore.

— Alors, dites-moi ce que vous n'ignorez pas.

— À dire vrai, monsieur Poirot, je ne sais rien du tout. Mr Ratchett ne parlait jamais de lui, ni de sa vie quand il était aux États-Unis.

— Savez-vous pourquoi ?

— Aucune idée. Il m'est arrivé de penser qu'il avait honte de ses origines. C'est le cas de certains.

— Trouvez-vous que ce soit une hypothèse concluante ?

— Franchement, non.

— Avait-il de la famille ?

— Il n'y a jamais fait allusion. »

Poirot était décidé à vider la question.

« Je suis sûr que vous aviez votre petite idée là-dessus, Mr MacQueen.

— Oui, admettons, c'est vrai. D'abord, je crois que Ratchett n'était pas son véritable nom. Je pense qu'il avait quitté les États-Unis pour fuir quelque chose, ou quelqu'un. Et je crois qu'il y a bien réussi... Jusqu'à ces dernières semaines.

— Oui ?

— Il a commencé à recevoir des lettres... Des lettres de menace.

— Vous les avez lues ?

— Oui. S'occuper de son courrier faisait partie de mon travail. La première est arrivée il y a une quinzaine de jours.

— Vous les avez encore ?

— Je dois en avoir deux ou trois dans ma serviette. Il y en a une qu'il a déchirée, en pleine fureur. Voulez-vous les voir ?

— Ce serait très aimable de votre part. »

MacQueen quitta le compartiment, et revint bientôt pour donner à Poirot deux feuilles de papier quadrillé assez sale.

La première lettre était ainsi rédigée :

Tu pensais que tu nous avais eus et que tu pouvais te tirer... Mais tu t'es gouré. On VEUT t'avoir, Ratchett, et on t'AURA.

Il n'y avait pas de signature.

Pour tout commentaire, Poirot se borna à froncer les sourcils, puis il prit la seconde lettre.

On va te payer un aller simple pour l'enfer, Ratchett. D'ici pas longtemps. On t'AURA, compris ?

« Le style est un peu monotone, dit Poirot en reposant la feuille de papier. Mais je n'en dirais pas autant de l'écriture. »

MacQueen le regarda avec étonnement.

« Vous ne pouvez pas vous en apercevoir, reprit Poirot avec bonne humeur. Il faut avoir un œil exercé. Mais, voyez-vous, Mr MacQueen, ces messages n'ont pas été écrits par une seule personne, mais par deux personnes ou plus qui, chacune à leur tour, ont écrit une lettre, ou un mot. Et, en plus, tout est en majuscules, ce qui rend l'analyse de l'écriture bien plus difficile. »

Il marqua une pause, puis ajouta :

« Saviez-vous que Mr Ratchett avait demandé mon aide ?

— Votre aide ? »

Le ton de MacQueen marquait une telle surprise que Poirot fut convaincu que le jeune homme n'avait rien su de la démarche de Ratchett.

« Oui, continua le détective. Il était inquiet. Comment a-t-il réagi quand il a reçu la première lettre ?

— C'est difficile à dire, hésita MacQueen. Il... Il... Il a ri et il a fait comme si de rien n'était. »

Le jeune homme frissonna.

« Mais je pense quand même qu'il ne se sentait pas la conscience tranquille. »

Poirot hocha la tête. Puis, soudain :

« Dites-moi, Mr MacQueen, en toute honnêteté : que pensiez-vous de votre patron ? Est-ce que vous aviez de l'affection pour lui ? »

MacQueen prit le temps de la réflexion...

« De l'affection ? Non.

— Pourquoi ?

— Je ne saurais pas le dire. Avec moi, il a toujours été charmant. Mais, poursuivit MacQueen plus lentement, à la vérité, je ne l'aimais pas et je m'en méfiais. J'ai toujours pensé que c'était un homme cruel et dangereux. Mais je reconnais que je n'ai rien pour appuyer cette opinion.

— Merci, Mr MacQueen. Encore une question. Quand avez-vous vu Mr Ratchett vivant pour la dernière fois ?

— Hier soir vers... Mettons vers 10 heures. Je suis allé dans son compartiment prendre des mémos[1] qu'il avait préparés.

— À quels sujets ?

— Il avait acheté en Perse des céramiques et des poteries anciennes. Mais ce qu'il avait reçu, ce n'était pas ce qu'il avait choisi. Il y a eu toute une correspondance assommante[2] là-dessus.

— Et vous êtes le dernier à avoir vu Mr Ratchett vivant ?

— Oui, je le suppose.

— Savez-vous quand Mr Ratchett a reçu la dernière lettre de menace ?

— Oui. Le matin du jour où nous avons quitté Constantinople.

— Je dois encore vous poser une question,

1. Des mots où Mr Ratchett donnait des instructions.
2. Très ennuyeuse.

Mr MacQueen. Vous entendiez-vous bien avec votre patron ? »

Une lueur d'amusement passa dans le regard du jeune homme.

« Si je ne me trompe, nous en sommes à la scène où je devrais avoir la chair de poule de la tête aux pieds et vous dire, comme il convient : "Vous n'avez aucune preuve contre moi." Mais Mr Ratchett et moi nous entendions parfaitement bien.

— Mr MacQueen, voulez-vous être assez aimable pour me donner votre identité complète et votre adresse aux États-Unis ? »

Le jeune homme précisa qu'il se nommait Hector Willard MacQueen et indiqua une adresse à New York.

Poirot se rencogna[1] dans les coussins de la banquette.

« Pour le moment, ce sera tout, Mr MacQueen. Nous vous serions très obligés de garder pour vous la mort de Mr Ratchett, au moins pour un moment.

— Il faudra bien que le valet de chambre, Masterman, le sache.

— Je suis sûr qu'il le sait déjà, commenta Poirot, très sec. Je compte sur vous pour qu'il tienne sa langue.

— Ça ne posera pas de problème. Il est anglais jusqu'au bout des ongles et, comme il aime à le dire,

1. Se blottit.

il sait garder son quant-à-soi[1]. Il a une assez piètre opinion des Américains, et pas d'opinion du tout sur les étrangers d'autres nationalités.

— Mr MacQueen, je vous remercie. »

Le jeune Américain quitta le compartiment.

« Eh bien, interrogea M. Bouc, vous pensez que l'on peut faire confiance à ce garçon ?

— Il a l'air honnête et franc du collier. Il n'a pas essayé de nous faire croire qu'il avait de l'affection pour son patron, ce qu'il aurait fait s'il était impliqué d'une façon quelconque. C'est vrai que Mr Ratchett ne lui a pas confié qu'il avait, sans succès, tenté d'utiliser mes services, mais je ne pense pas que nous devions retenir cela à charge contre lui. J'ai la conviction que notre Mr Ratchett gardait tout pour lui chaque fois que c'était possible.

— Vous venez au moins de découvrir un innocent », dit M. Bouc, en souriant jusqu'aux oreilles.

Poirot lui lança un regard de reproche.

« Vous savez bien que, jusqu'à la dernière minute, je considère que tout le monde est suspect. J'admets cependant que je vois mal ce MacQueen, froid et réfléchi, perdre la tête et poignarder sa victime dix ou douze fois. Ça ne colle pas avec sa psychologie. Pas du tout...

— Non, admit M. Bouc, pensif. Ce meurtre a été commis par un homme poussé aux limites de la folie

1. Il sait garder ses distances.

par une haine incroyable… Cela ressemble davantage à un homme au tempérament latin. Ou, comme le voulait à toute force notre ami le chef de train, à une femme. »

7

Le cadavre

Suivi du Dr Constantine, Poirot pénétra dans la voiture Istamboul-Calais et se dirigea vers le compartiment du mort, dont le conducteur lui ouvrit la porte avec son passe.

Les deux hommes entrèrent. Poirot se tourna vers son compagnon.

« Les choses ont-elles été beaucoup bouleversées ?

— On n'a touché à rien. Et j'ai eu soin de ne pas bouger le corps pendant que je l'examinais. »

Poirot approuva, puis regarda autour de lui.

Il fut tout d'abord frappé par le froid intense. La vitre avait été descendue à la limite, et le rideau était entièrement remonté.

« Brrr, frissonna-t-il.

— J'ai jugé plus sage de ne pas refermer », expliqua le médecin.

Poirot étudia attentivement la fenêtre.

« Vous aviez raison tout à l'heure, dit-il. Personne n'a quitté le wagon par là. On peut supposer que la fenêtre n'a été ouverte que dans le but de le faire croire, mais si c'est le cas, la neige a déjoué les intentions du meurtrier. »

Il s'attarda ensuite sur le châssis de la fenêtre et, sortant une boîte de sa poche, souffla délicatement une très fine poudre.

« Pas la moindre empreinte digitale, annonça-t-il, ce qui signifie que tout a été essuyé. De toute façon, s'il y avait eu des empreintes, elles ne nous auraient pas appris grand-chose. Ç'aurait été celles de Mr Ratchett, ou de son valet de chambre, ou du conducteur. De nos jours, les criminels ne commettent plus d'erreurs aussi grossières... »

Il se mit en devoir de remonter la vitre.

« Puisque c'est comme ça, il n'y a plus de raison de laisser ouvert. On se croirait positivement dans une chambre froide. »

Puis, pour la première fois, il s'intéressa au corps inerte qui reposait sur le lit.

Ratchett était étendu sur le dos. Sa veste de pyjama, tachée comme par de la rouille, avait été déboutonnée et ouverte.

« Il a bien fallu que je puisse voir la nature de ses blessures, vous comprenez », expliqua le médecin.

Avec un signe d'assentiment[1], Poirot se pencha sur le cadavre. Il se redressa au bout d'un moment avec une grimace.

« Ce n'est pas joli joli. Quelqu'un, qui devait se tenir là où je me trouve, l'a frappé à coups redoublés. Combien de blessures avez-vous exactement comptées ?

— Je suis arrivé à un total de douze. Une ou deux sont si légères qu'il ne s'agit, pour ainsi dire, que d'égratignures. Mais il y en a au moins trois qui, prises séparément, auraient été susceptibles d'entraîner la mort. »

Une inflexion particulière dans la voix du médecin retint l'attention de Poirot. Il le regarda fixement. Le petit Grec, debout au côté du cadavre, plissait le front avec perplexité.

« Il y a quelque chose qui vous semble bizarre, n'est-ce pas ? demanda Poirot avec douceur. Parlez, mon ami. Il y a bien un détail qui vous étonne, non ?

— Vous avez raison, reconnut le médecin.

— De quoi s'agit-il ?

— Voyez-vous ces deux plaies, ici... et ici ? Elles sont profondes et les deux coups doivent avoir lésé de gros vaisseaux... Et pourtant, les lèvres des deux plaies sont à peine écartées, et elles ont beaucoup moins saigné que ce qu'on aurait pu prévoir.

---

1. Un signe qui montre qu'il est d'accord.

— Ce qui vous conduit à penser ?...

— Que cet homme était déjà mort – au moins depuis un petit moment – quand ces deux coups lui ont été portés. Mais ce que je dis est certainement absurde.

— Oui, à ce qu'il semble, répondit Poirot, songeur. À moins que notre meurtrier n'ait imaginé qu'il n'avait pas accompli comme il faut sa sinistre tâche, et qu'il soit revenu pour la terminer. Mais c'est tout aussi manifestement absurde. Vous voyez quelque chose d'autre ?

— Oui, une seule.

— Oui ?

— Vous voyez cette blessure, là, sous le bras droit, près de l'épaule droite ?... Tenez, prenez mon crayon. Pourriez-vous porter un coup pareil ? »

Poirot leva la main.

« Tiens, tiens ! dit-il. Je vois. Avec la main *droite*, c'est extraordinairement difficile... Pratiquement impossible... Il faudrait frapper d'avant en arrière et le dos tourné !... Mais si le coup a été porté de la main *gauche*...

— Voilà où je veux en venir, monsieur Poirot. Ce coup-là a été certainement porté de la main gauche.

— Ainsi notre meurtrier serait gaucher ? Non, c'est sûrement plus compliqué que ça, hein ?...

— Tout à fait, monsieur Poirot. Car il est non moins évident que beaucoup d'autres coups ont été portés de la main droite.

— Deux individus. Nous en revenons à deux meurtriers... », murmura le détective.

Puis il demanda, tout à trac :

« La lumière était-elle allumée ?

— C'est difficile à dire. Vous savez que tous les matins, vers 10 heures, le conducteur coupe le circuit général.

— Les interrupteurs vont nous renseigner », dit Poirot.

Il examina les commandes du plafonnier et de la lampe de chevet. Elles étaient toutes deux en position fermée.

« Eh bien, grinça-t-il, il nous faut envisager l'hypothèse d'un Premier, puis d'un Second Meurtrier, comme l'aurait dit le grand Shakespeare. Le Premier Meurtrier poignarde la victime, et quitte le compartiment en éteignant la lumière. Le Second débarque dans le noir, ne voit pas que son travail a été accompli par quelqu'un d'autre, et donne au moins deux coups de poignard à un corps déjà sans vie... Que pensez-vous de ça ?

— C'est génial ! s'écria, enthousiaste, le petit docteur.

— Vous trouvez ? dit Poirot, l'œil rieur. J'en suis heureux. J'avais le sentiment que ça ne tenait pas debout.

— Vous voyez une autre explication ?

— C'est ce que je suis en train de me demander. Avons-nous affaire à une coïncidence, ou est-ce autre chose ? Y a-t-il d'autres données contradictoires qui puissent nous conduire à penser à l'existence de deux meurtriers ?

— Je crois que oui. Certaines des blessures, comme je vous l'ai déjà signalé, indiquent une faiblesse de celui qui a frappé, qu'il s'agisse d'un manque de force ou d'un manque de détermination. Ce sont les quasi-égratignures dont je vous parlais. Mais regardez cette plaie... Et aussi celle-là... Il a fallu une grande force pour causer de telles blessures. La lame a pénétré dans le muscle.

— À votre avis, c'est un homme qui a porté ces coups ?

— C'est plus que probable.

— Ce n'aurait pas pu être une femme ?

— Peut-être qu'une femme jeune, vigoureuse, sportive aurait pu porter de tels coups, en particulier sous l'empire d'un choc émotionnel d'importance. Mais, à mon avis, il y a bien peu de chances. »

Poirot ne répondit pas. Le médecin demanda, anxieux :

« Vous comprenez ce que je veux dire ?

— Parfaitement, dit Poirot. Tout cela est merveilleusement lumineux. Le meurtrier était un homme d'une très grande force, mais il n'est pas costaud, et d'ailleurs, c'est une femme, et par surcroît, c'est un droitier qui est gaucher... Ah ! il y a de quoi se tenir les côtes ! »

Il fut pris d'une sorte de colère :

« Et la victime, hein ?... Qu'est-ce qu'il fait pendant ce temps-là, notre bonhomme ? Il appelle à l'aide ? Il se débat ? Il essaie de se défendre ? »

Il glissa sa main sous l'oreiller, et en sortit le pistolet automatique que Ratchett lui avait montré la veille.

« Chargé à bloc, vous voyez », dit Poirot.

Les deux hommes regardèrent autour d'eux. Les vêtements de jour de Ratchett, sur leurs cintres, pendaient aux crochets de la cloison. Sur la tablette formée par le couvercle du lavabo se trouvaient les objets les plus disparates : un dentier dans un verre d'eau, un autre verre, vide, une bouteille d'eau minérale, un grand flacon, et un cendrier contenant le mégot d'un cigare, des fragments de papier carbonisé, et deux allumettes usagées.

Le médecin prit le verre vide et le renifla.

« Voilà l'explication du calme de la victime, constata-t-il tranquillement.

— Drogue ?

— Oui. »

Poirot hocha la tête. Puis il s'empara des deux allumettes qu'il soumit à un examen attentif.

« Auriez-vous découvert un indice ? interrogea vivement le petit docteur.

— Ces deux allumettes ne sont pas de la même forme, expliqua Poirot. L'une est plus plate que l'autre, vous voyez ?

— Elle est du même genre que celles des pochettes que l'on trouve dans le train. »

Poirot tâtait les poches des vêtements de Ratchett. Il repéra une boîte d'allumettes et en compara le contenu avec celles qu'il avait trouvées.

« Mr Ratchett s'est servi de la plus ronde, dit-il. Mais voyons s'il avait aussi des allumettes plates. »

Malgré leurs recherches, ils ne trouvèrent pas d'autres allumettes.

Vifs et brillants comme ceux d'un oiseau, les yeux de Poirot scrutaient chaque pouce du compartiment. Rien, semblait-il, ne pouvait leur échapper.

Soudain, il poussa une exclamation, se pencha, et ramassa un objet sur le plancher.

C'était un petit carré de très fine batiste.

« Notre ami le chef de train n'avait pas tort, dit le médecin. Une femme est bel et bien impliquée dans cette affaire.

— Et, pour faciliter notre enquête, elle a laissé son mouchoir derrière elle ! ricana Poirot. Tout à fait comme dans les romans ou dans les films. Et pour que ce soit plus facile encore, le mouchoir est marqué d'une initiale...

— Quelle chance pour nous !

— N'est-ce pas ?... »

Une inflexion dans la voix de Poirot alerta le médecin. Mais avant qu'il ait pu poser la moindre question, le détective avait de nouveau plongé vers le plancher. Il en remonta, en présentant cette fois, au creux de la paume de sa main, un nettoie-pipe.

« Ça appartenait peut-être à Mr Ratchett, suggéra le docteur.

— Il n'y avait de pipe dans aucune de ses poches, ni de tabac ou de blague à tabac.

— Alors, c'est un indice.

— Ah oui, sans aucun doute... Et une fois de plus abandonné là de la manière la plus commode pour nous. Et vous noterez que, dans ce cas, c'est un indice qui fait penser à un homme. Dans cette affaire, on ne peut vraiment pas se plaindre de manquer d'indices. Il y en a en veux-tu en voilà. À propos, qu'est-ce que vous avez fait de l'arme du crime ?

— Je n'ai pas trouvé trace d'une arme. Le meurtrier l'a emportée avec lui.

— Je me demande pourquoi, s'interrogea Poirot.

— Sapristi ! cria le médecin qui explorait avec soin les poches du pyjama du mort, j'avais laissé passer ça. J'ai déboutonné la veste et je l'ai ouverte tout de suite sans vérifier. »

De la poche de poitrine, il venait de sortir une montre en or. Le boîtier portait les traces de plusieurs marques de coups, et les aiguilles étaient bloquées sur 1 h 15.

« Vous voyez bien ! s'exclama le Dr Constantine. Cela nous donne l'heure du crime. Et ça coïncide avec mon estimation. Rappelez-vous, j'avais dit entre minuit et 2 heures, et probablement vers 1 heure, encore qu'il ne soit pas facile d'être précis dans ce domaine. Eh bien, voilà la confirmation. 1 h 15. C'est l'heure du crime.

— Oui, c'est possible... C'est bien possible...

— Pardonnez-moi, monsieur Poirot, mais j'ai de la peine à vous comprendre, dit le petit Grec avec un regard interrogatif.

— Je ne comprends pas moi-même, répondit Poirot. Je ne comprends rien du tout, et comme vous vous en êtes sans doute aperçu, cela m'agace. »

Il soupira, puis se pencha vers la petite table, les yeux fixés sur le bout de papier carbonisé.

« Ce qu'il me faut maintenant, c'est un carton à chapeau à l'ancienne », murmura-t-il.

Cette remarque plongea le Dr Constantine dans la plus grande stupéfaction, mais Poirot ne lui laissa pas le temps de poser une seule question. Ouvrant la porte du compartiment, il appela le conducteur qui arriva en toute hâte.

« Combien de dames y a-t-il dans la voiture ?

— Une... deux... trois... six, monsieur, dit le conducteur en comptant sur ses doigts. Il y a la vieille dame américaine, la dame suédoise, la jeune personne anglaise, la comtesse Andrenyi, et puis madame la princesse Dragomirov et sa femme de chambre. »

Poirot réfléchit.

« Elles ont toutes des cartons à chapeau, hein ?

— Bien sûr, monsieur.

— Alors, apportez-moi... Voyons... Le carton à chapeau de la dame suédoise, et celui de la femme de chambre. Ces deux-là sont notre seul espoir. Vous leur raconterez que c'est à cause de la douane... N'importe quoi... Ce qui vous passera par la tête.

— Il n'y aura pas de problèmes, monsieur. Aucune de ces deux dames n'est dans son compartiment en ce moment.

— Alors, faites vite. »

Le conducteur revint avec les deux cartons à chapeau demandés. Poirot ouvrit d'abord celui de la femme de chambre, et l'écarta. Mais il eut un gloussement de satisfaction en ouvrant celui de la Suédoise. Enlevant les chapeaux avec le plus grand soin, il fit apparaître des calottes hémisphériques[1] en grillage à très fines mailles.

« Ah, voilà ce qu'il nous faut. Il y a une quinzaine d'années, tous les cartons à chapeau étaient faits comme celui-là. Avec une épingle, on faisait tenir les chapeaux sur ces calottes en grillage. »

Pendant qu'il parlait, il avait habilement réussi à en défaire deux. Puis il remballa les chapeaux et ordonna au conducteur de rapporter les deux cartons dans les compartiments.

Quand la porte fut refermée, Poirot se tourna vers son compagnon.

« Voyez-vous, mon cher docteur, je ne suis pas de ceux qui font grande confiance aux experts de tout poil. J'essaie d'arriver à la solution par la psychologie,

1. Des formes qui empêchent le chapeau de s'écraser.

pas par la recherche d'empreintes ou l'analyse de cendres de cigarettes. Mais je dois reconnaître que, dans le cas qui nous occupe, je ne refuserais pas l'aide de quelques scientifiques. Ce compartiment est bourré d'indices, mais comment puis-je être sûr que ces indices sont bien ce qu'ils semblent être ?

— Je ne vous suis pas, monsieur Poirot.

— Je vous donne un exemple. Nous avons trouvé un mouchoir de femme. Est-ce vraiment une femme qui l'a perdu ? Ou bien est-ce un homme qui, préméditant le crime, a pensé : "Je vais faire en sorte que l'on croie à un crime de femme. Je donnerai bien plus de coups de poignard qu'il n'est nécessaire, et je m'arrangerai pour que certains soient portés si faiblement qu'ils n'aient aucune efficacité, et en plus j'abandonnerai ce mouchoir à un endroit où on le trouvera forcément" ? C'est une première possibilité. Mais il y en a une autre. On peut supposer que c'est une femme qui a tué Ratchett, et qui a ingénieusement laissé traîner ce nettoie-pipe pour que l'on pense à un crime d'homme. Pouvons-nous réellement imaginer que deux individus, en l'occurrence un homme et une femme, soient impliqués de façon totalement indépendante, et que chacun d'eux aurait été assez maladroit pour laisser un indice conduisant à son identité ? Pour une coïncidence, ce serait un peu fort quand même !

— Mais que vient faire là-dedans le carton à chapeau ? demanda le médecin, qui persistait à n'y rien comprendre.

— J'y viens. Comme je vous le disais, tous nos indices, la montre arrêtée à 1 h 15, le mouchoir, le nettoie-pipe, peuvent être authentiques ou au contraire destinés à nous induire en erreur. Au stade actuel, je ne suis pas en mesure de le déterminer. Mais nous avons là un indice qui, j'en suis convaincu, même si je peux me tromper, n'a pas été truqué. Mon cher docteur, je fais allusion à cette allumette plate. J'ai la conviction que c'est le meurtrier qui s'en est servi, pas Mr Ratchett. Et il s'en est servi pour brûler un papier quelconque qui l'aurait désigné comme coupable. Un message, peut-être, ou une lettre. Si c'est bien cela, il y avait dans ce message quelque chose, un nom, une date, un lieu, qui aurait mené à la découverte du coupable. Eh bien, je vais m'efforcer de redonner vie à ce qu'on a tenté de faire disparaître. »

Poirot quitta le compartiment et revint bientôt muni d'un petit réchaud à alcool et d'une paire de fers à friser.

« Je m'en sers pour mes moustaches », expliqua-t-il.

Le médecin observa avec le plus grand intérêt la manipulation entreprise par le détective. Il commença par aplatir les deux calottes en grillage fin, puis, avec infiniment de minutie, posa sur l'une d'elles le morceau de papier carbonisé qu'il recouvrit de la seconde pièce métallique. Alors, tenant l'ensemble bien serré à l'aide des fers à friser, il exposa le tout à la flamme du petit réchaud.

« C'est vraiment un moyen de fortune, lâcha-t-il par-dessus son épaule. Espérons que ça va marcher. »

Le docteur ne perdait pas une miette du spectacle. Le métal commença de rougeoyer. Et, soudain, la forme de quelques lettres apparut. Des mots, peu à peu, se formèrent. Des mots de feu...

Ce n'était vraiment qu'une bribe de phrase. Six mots, seulement, et une partie d'un septième :

... viens-toi de la petite Daisy Armstrong.

« Ah ! s'exclama Poirot.

— Cela vous dit quelque chose ? » demanda le médecin.

Les yeux de Poirot étincelaient. Il reposa doucement les fers à friser.

« Oui, dit-il. *Je connais maintenant le véritable nom de notre mort. Et je sais pourquoi il avait été forcé de quitter les États-Unis.*

— Comment s'appelait-il ?

— Cassetti.

— Cassetti ?... »

Le médecin fronçait les sourcils.

« Ça me rappelle un vague souvenir... Il y a déjà quelques années... N'est-ce pas à propos d'un crime aux États-Unis ?

— Exactement, dit Poirot. Un crime aux États-Unis. »

Il ne paraissait pas désireux d'en ajouter davantage pour le moment. Il regarda autour de lui et reprit :

« Nous aurons l'occasion d'y revenir plus tard. Pour

le moment, assurons-nous que nous avons bien vu tout ce qu'il y avait à voir ici. »

Avec des gestes vifs et précis, il vérifia une dernière fois le contenu des poches des vêtements du mort, mais n'y trouva rien d'intéressant. Il essaya d'ouvrir la porte de communication avec le compartiment voisin, mais elle avait été verrouillée de l'autre côté.

« Cela, c'est vraiment quelque chose que je n'arrive pas à comprendre, remarqua le Dr Constantine. Si le meurtrier ne s'est pas enfui par la fenêtre, si, en plus,

la porte de communication était verrouillée, et si, enfin, non seulement la porte du couloir était fermée à clef de l'intérieur, mais la chaîne de sûreté était mise, comment a-t-il bien pu faire pour quitter le compartiment ?

— C'est très exactement ce que se dit le public quand il voit sur la scène une personne enfermée pieds et poings liés dans un coffre cadenassé disparaître comme par enchantement.

— Vous voulez dire...

— Je veux dire, expliqua Poirot, que, si le meurtrier voulait nous faire croire qu'il s'était échappé par la fenêtre, il fallait naturellement qu'une fuite par les deux autres issues apparaisse impossible. Comme dans le tour de magie de la “personne qui disparaît” dans son coffre, il y a un truc. Et notre tâche, c'est de découvrir comment le truc a fonctionné ici. »

Il prit soin de fermer le verrou de la porte de communication.

« C'est seulement au cas, sourit-il, où cette excellente Mrs Hubbard ressentirait le besoin de recueillir quelques détails de première main sur le crime pour les raconter à sa fille... »

Il jeta un dernier regard autour de lui.

« Je pense que nous n'avons plus rien à faire ici. Allons retrouver notre ami M. Bouc. »

8

L'enlèvement de Daisy Armstrong

Dans son compartiment, M. Bouc achevait de déguster une omelette.

« J'ai ordonné que le déjeuner soit servi tout de suite au wagon-restaurant, dit-il. Après cela, il sera complètement libre et M. Poirot pourra y mener tranquillement l'interrogatoire des passagers. Et puis j'ai demandé qu'une collation[1] nous soit apportée ici.

— Excellente idée », commenta Poirot.

Le médecin ni le détective n'avaient très faim, et leur repas fut vite expédié. Mais M. Bouc attendit d'en être arrivé au café pour faire allusion au problème qui obsédait leurs esprits.

1. Repas léger.

« Eh bien ? interrogea-t-il.

— Eh bien, j'ai découvert la véritable identité de la victime. Et je sais aussi pourquoi notre homme n'avait pas d'autre choix que de quitter les États-Unis.

— Qui était-ce donc ?

— Vous vous souvenez sûrement d'avoir lu dans les journaux l'histoire de la petite Armstrong ? Notre homme était Cassetti, l'assassin de Daisy Armstrong.

— Ça me revient, maintenant. Un crime épouvantable... Mais je ne me rappelle pas bien les détails.

— Le colonel Armstrong, raconta Poirot, était anglais. Titulaire de la Victoria Cross[1]. Par sa mère, la fille de W.K. Van der Halt, le millionnaire de Wall Street, il avait une moitié de sang américain. Et il avait épousé la fille de Linda Arden, qui était, à son époque, l'actrice tragique la plus célèbre de toute l'Amérique du Nord. Le couple vivait aux États-Unis. Ils n'avaient qu'un enfant, une fillette, qu'ils adoraient. Alors qu'elle avait trois ans, la petite a été enlevée. Les ravisseurs ont exigé une rançon ahurissante. Je ne vais pas vous étourdir sous un flot de détails. Sachez seulement qu'alors que la famille avait versé la somme colossale de deux cent mille dollars, on a retrouvé le cadavre de la fillette. Elle était morte depuis au moins quinze jours. L'opinion publique s'est enflammée, naturellement. Mais ce n'était pas le pire. Mrs Armstrong était enceinte. À la suite du choc qu'elle venait de subir, elle

1. Distinction militaire britannique.

a accouché prématurément d'un bébé mort-né, et elle a succombé elle-même des suites de l'accouchement. Et, dans son désespoir, le colonel Armstrong s'est tiré une balle dans la tête.

— Mon Dieu, quelle tragédie !... Je me rappelle maintenant, dit M. Bouc. Et, si je me souviens bien, il y a eu encore une autre mort.

— Oui. Une malheureuse bonne d'enfants, française ou suissesse. Les policiers étaient persuadés qu'elle était impliquée. Ils n'ont jamais voulu croire à ses protestations d'innocence forcenées. À la fin, désespérée, la pauvre gosse s'est jetée par la fenêtre et elle s'est tuée. Après, bien après, il a été prouvé que son innocence était totale.

— Je préférerais ne pas y penser, dit M. Bouc.

— À peu près six mois plus tard, reprit Poirot, Cassetti a été arrêté, sous l'inculpation d'être le chef de la bande qui avait enlevé l'enfant. Ils avaient déjà agi de la même façon dans le passé. S'ils avaient le sentiment que la police pourrait facilement retrouver leur trace, ils tuaient leur victime, dissimulaient le cadavre, et tentaient d'extorquer le plus d'argent possible avant que le crime ne soit découvert.

» Mais il faut être clair, mon cher ami. Cassetti était le principal coupable, garanti sur facture ! Mais il disposait des énormes sommes d'argent qu'il avait pu accumuler, et il tenait un certain nombre de gens influents. C'est comme ça qu'il a réussi à se faire acquitter, en usant de divers artifices de procédure. La populace l'aurait tout de même lynché s'il n'était parvenu à filer. Et je vois bien, maintenant, ce qui s'est passé en réalité. Il avait changé d'identité et il s'était enfui des États-Unis. Et, depuis ce temps, il jouait les riches oisifs, voyageant de par le vaste monde et vivant de ses rentes.

— Ah, le salopard ! s'écria M. Bouc d'une voix qui exprimait un profond dégoût. Je ne vais pas pleurer sa mort ! Ah, ça non, par exemple !

— Je partage votre avis.

— Tout de même, on aurait pu le tuer ailleurs que sur l'Orient-Express. Ce ne sont pas les endroits qui manquent... »

Poirot rit sous cape[1]. Il admettait que, sur ce point précis, M. Bouc puisse avoir des vues un peu particulières.

« La question que nous devons nous poser maintenant, dit-il, peut être formulée ainsi : le meurtre est-il l'œuvre d'une bande rivale à laquelle Cassetti aurait, comme on dit, cherché des crosses dans le passé, ou s'agit-il d'une vengeance privée ? »

Il expliqua comment il avait pu découvrir quelques mots significatifs sur le bout de papier carbonisé :

« Si mon hypothèse tient, c'est le meurtrier qui a brûlé cette lettre. Pourquoi ? Parce qu'elle comportait ce nom d'Armstrong qui est la clef de tout notre mystère.

1. Discrètement, sans le montrer.

— Y a-t-il d'autres membres de la famille Armstrong encore vivants ?

— Cela, malheureusement, je n'en sais rien. Je crois me souvenir d'avoir lu quelque part que Mrs Armstrong avait une sœur cadette. »

Poirot poursuivit le compte rendu des conclusions auxquelles le Dr Constantine et lui-même étaient parvenus. Quand il fit allusion à la montre brisée, le visage de M. Bouc s'éclaira.

« Apparemment, nous connaissons ainsi très précisément l'heure du crime.

— Oui, dit Poirot. C'est parfait pour l'enquête. »

Il y avait dans sa voix une nuance indescriptible, et ses deux compagnons le regardèrent, perplexes.

« Vous avez dit vous-même que vous avez entendu Ratchett parler au conducteur à 1 heure moins 20 », insista M. Bouc.

Poirot relata sans fioritures ce qu'il avait entendu.

« Bon, dit M. Bouc. Cela prouve au moins que Cassetti – ou Ratchett, comme je préfère continuer à l'appeler – était encore en vie à 1 heure moins 20.

— À 0 h 37, pour être précis.

— Bien !... À 0 h 37, puisqu'il le faut, Mr Ratchett était encore vivant. Cela, au moins, c'est un fait bien établi. »

Poirot ne répondit pas. Il regardait droit devant lui, pensif, totalement absorbé.

On frappait à la porte. Le maître d'hôtel entra.

« La voiture-restaurant est libre, monsieur.

— Allons-y, dit M. Bouc en se levant.

— Puis-je vous accompagner ? demanda le Dr Constantine.

— Certainement, mon cher docteur, si M. Poirot n'y voit pas d'objection.

— Pas du tout. Pas du tout », affirma Hercule Poirot.

Les trois hommes, non sans s'être joué la comédie des « Après vous, monsieur » et des « Mais non, je n'en ferai rien », quittèrent le compartiment.

DEUXIÈME PARTIE
TÉMOIGNAGES ET INDICES

1

Le témoignage du conducteur du wagon-lit

Dans le wagon-restaurant, les préparatifs étaient achevés.

Poirot et M. Bouc étaient assis côte à côte, à la même table. Le Dr Constantine avait pris place sur la même rangée qu'eux, mais à une table pour deux.

Poirot avait devant lui un plan de la voiture Istamboul-Calais, sur lequel les noms des passagers et le numéro de leur compartiment avaient été portés à l'encre rouge. Les passeports et les billets formaient deux piles nettes, et chacun disposait d'encre, de papier et de plumes.

« Voilà qui est parfait, dit Poirot. Nous pouvons débuter l'instruction sans attendre. Je crois que nous devrions recueillir pour commencer le témoignage du conducteur de notre wagon-lit. Vous devez bien connaître votre homme. Quel genre de type est-ce, à votre avis ? On peut se fier à ce qu'il dit ?...

— Oui, absolument. Pierre Michel est au service de notre compagnie depuis plus de quinze ans. Il est français. Il habite près de Calais. C'est quelqu'un de très bien, de très honnête. Peut-être pas un cerveau, mais ça...

— Bien. Voyons-le tout de suite », dit Poirot, approbateur.

Pierre Michel n'avait retrouvé qu'un peu de sang-froid, et il continuait de se montrer d'une extrême nervosité.

« J'espère que Monsieur ne va pas croire qu'il y a eu négligence de ma part, déclara-t-il avec une anxiété qui déstabilisait[1] son regard. Ce qui est arrivé est épouvantable. J'espère que Monsieur ne pense pas que c'est ma faute. »

Poirot prononça quelques mots d'apaisement, puis posa une série de questions élémentaires : d'abord le nom complet et l'adresse de Pierre Michel, puis la date de son embauche dans les Wagons-Lits, et son ancienneté sur l'Orient-Express. En fait, il connaissait déjà les réponses, mais ses questions de routine n'avaient pas d'autre but que de mettre le bonhomme à son aise.

« Et maintenant, dit Poirot, venons-en à ce qui s'est

---

1. Qui empêchait son regard de se fixer sur son interlocuteur.

passé la nuit dernière. Mr Ratchett est allé se coucher... Quand cela ?

— Tout de suite après le dîner, monsieur. Avant même que nous ayons quitté Belgrade. Il avait fait pareillement la nuit d'avant. Il m'avait demandé de préparer son lit pendant le dîner, ce que j'ai fait.

— Et après, quelqu'un est allé dans son compartiment ?

— Oui, monsieur, son valet de chambre, et puis son secrétaire, le jeune monsieur américain.

— Personne d'autre ?

— Non, monsieur, pas que je sache.

— Parfait. Et vous ne l'avez pas vu ou entendu depuis ce moment-là ?

— Si, monsieur. Monsieur oublie que Mr Ratchett a sonné vers 1 heure moins 20. Très peu de temps après que le train a été stoppé par la neige.

— Dites-moi tout.

— J'ai frappé, mais il m'a crié à travers la porte qu'il s'était trompé.

— En anglais ou en français ?

— En français.

— Qu'a-t-il dit très exactement ?

— *"Ce n'est rien. Je me suis trompé."*

— Parfaitement exact, dit Poirot. C'est ce que j'ai moi-même entendu. Et puis vous êtes reparti ?

— Oui, monsieur.

— Vous êtes retourné immédiatement à votre place ?

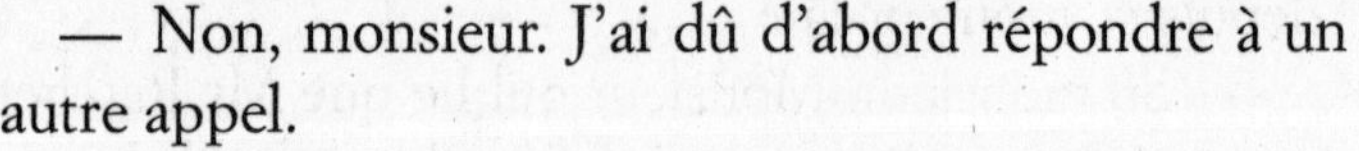

— Non, monsieur. J'ai dû d'abord répondre à un autre appel.

— Michel, je vais vous poser maintenant une question importante. Où étiez-vous à 1h15 ?

— Moi, monsieur ? J'étais assis à ma place, sur mon siège, au bout du wagon, face au couloir.

— Vous en êtes sûr ?

— Mais oui... C'est-à-dire...

— Eh bien ?

— Je suis allé parler avec mon collègue de la voiture Athènes-Paris. Nous avons discuté de la neige qui nous bloquait. C'était un peu après 1 heure. Je ne pourrais pas dire au juste quand.

— Et vous êtes revenu... Quand cela ?

— Il y a eu un appel, monsieur. Je me souviens d'en

avoir parlé à Monsieur... C'était la dame américaine. Elle a sonné plusieurs fois.

— Je m'en souviens, dit Poirot. Et après cela ?

— Après cela, monsieur ?... Eh bien, j'ai répondu à l'appel de Monsieur et j'ai apporté à Monsieur l'eau minérale de Monsieur. Et puis, à peu près une demi-heure plus tard, j'ai fait le lit dans un autre compartiment... Celui du jeune monsieur américain, le secrétaire de Mr Ratchett.

— Mr MacQueen était seul quand vous avez arrangé son lit ?

— Non, le colonel anglais du numéro 15 était avec lui. Ils avaient passé la soirée à parler.

— Qu'a fait le colonel après avoir quitté Mr MacQueen ?

— Il est retourné dans son compartiment.

— Le numéro 15... C'est tout près de votre siège, n'est-ce pas ?

— Oui, monsieur, c'est l'avant-dernier avant le bout du couloir.

— Le lit était déjà fait ?

— Oui, monsieur, je m'en étais occupé pendant le dîner.

— Avez-vous une idée de l'heure à laquelle tout cela s'est passé ?

— Je ne pourrais pas dire avec précision, monsieur. Certainement pas plus tard que 2 heures.

— Et après ça ?

— Après ça, monsieur, je suis resté sur mon siège jusqu'à l'aube.

— Vous avez peut-être dormi ?

— Je ne pense pas, monsieur. Le train ne bougeait pas et ça m'a empêché de m'endormir comme d'habitude.

— Avez-vous vu qui que ce soit aller ou venir dans le couloir ?

— Une des dames est allée aux toilettes qui sont à l'autre bout, dit Pierre Michel après un moment de réflexion.

— Quelle dame ?

— Je ne saurais pas dire, monsieur. C'était tout au fond du couloir, et elle me tournait le dos. Elle portait un kimono rouge, avec des dragons brodés dessus.

— Et après cela ? demanda Poirot en hochant la tête.

— Rien, monsieur, jusqu'à l'aube.

— Vous êtes sûr ?

— Je vous demande pardon, monsieur. Monsieur a ouvert sa porte et a regardé dehors pendant un instant.

— C'est bien, mon ami, dit Poirot. Je me demandais si vous vous en souviendriez. À propos, j'ai été réveillé en sursaut par le bruit de quelque chose de lourd qui tombait contre ma porte. Vous avez une idée de ce que ça pouvait être ?

— Sûrement rien, monsieur, dit le conducteur en le regardant avec étonnement. Il n'y a rien eu. J'en suis sûr.

— Alors, j'ai dû faire un cauchemar, concéda Poirot.

— À moins, intervint M. Bouc, que vous n'ayez entendu quelque chose qui se passait dans le compartiment voisin du vôtre. »

Poirot parut n'accorder aucune attention à cette suggestion. Peut-être ne souhaitait-il pas s'y attarder en présence du conducteur ?

« Passons maintenant au point suivant, reprit Poirot. Imaginons que l'assassin soit monté dans le train hier soir. Il est certain qu'il n'aurait pas pu s'en échapper après avoir commis le crime, n'est-ce pas ? »

Pierre Michel fit non de la tête.

« Et on ne peut pas imaginer qu'il se soit caché quelque part ?

— Tout a été fouillé, dit M. Bouc. C'est une hypothèse à laquelle il faut renoncer, mon cher ami.

— De toute façon, ajouta Pierre Michel, personne n'aurait pu pénétrer dans la voiture sans que je le voie.

— Quelle était la dernière gare où nous nous sommes arrêtés.

— Vincovci.

— Il était quelle heure ?

— Nous aurions dû en repartir à 23 h 58. Mais nous avons eu vingt minutes de retard à cause du mauvais temps.

— Quelqu'un pourrait être passé par les voitures ordinaires ?

— Non, monsieur. Après le dernier service du

dîner, la porte entre les wagons-lits et le reste de la rame est fermée à clef.

— Vous-même, êtes-vous descendu du train à Vincovci ?

— Oui, monsieur. À Vincovci, conformément au règlement, je suis descendu sur le quai et je me suis tenu à côté de la portière. Les autres conducteurs ont fait pareillement.

— Et la portière de l'avant de la voiture ? Celle du côté du wagon-restaurant ?

— Elle est toujours verrouillée de l'intérieur.

— Ce n'est pas le cas en ce moment. »

Le conducteur parut stupéfait, puis son visage se rasséréna[1].

« C'est sans doute un des passagers qui l'a ouverte pour regarder la neige.

— C'est probable, dit Poirot, tout en tambourinant sur la table avec ses doigts.

— J'espère que Monsieur n'a pas de reproche à me faire », lâcha, timidement, Pierre Michel.

Poirot lui sourit.

« Non, mon ami. Vous êtes mal tombé, c'est tout. Ah ! Une dernière question, qui me revient en mémoire. Vous nous avez dit qu'il y avait eu une sonnerie d'appel au moment où vous frappiez à la porte de Mr Ratchett. Et, en fait, je l'ai entendue, moi aussi. Qui était-ce ?

---

1. S'apaisa.

— C'était Mme la princesse Dragomirov. Elle voulait que j'aille chercher sa femme de chambre.

— Ce que vous avez fait ?

— Oui, monsieur. »

Poirot se plongea dans le plan du wagon-lit qui était posé sur la table, puis il releva la tête.

« Ce sera tout pour le moment.

— Merci, monsieur. »

Pierre Michel se leva et fixa M. Bouc.

« Rassurez-vous, lui dit ce dernier. Je ne vois pas que vous ayez commis la moindre négligence. »

Satisfait, Pierre Michel sortit du compartiment.

2

Le témoignage du secrétaire

Pendant quelques instants, Poirot resta perdu dans ses pensées.

« Compte tenu de ce que nous savons maintenant, dit-il enfin, je crois qu'il ne serait pas mauvais de revoir Mr MacQueen. »

Le jeune Américain ne tarda pas à apparaître.

« Eh bien, demanda-t-il, comment ça se passe ?

— Pas trop mal. Depuis notre dernier entretien, j'ai appris un élément important... La véritable identité de Mr Ratchett. »

Subitement intéressé, Hector MacQueen se pencha.

« Oui ?...

— Comme vous vous en doutiez, Ratchett, c'était

un nom de guerre. En réalité, Ratchett s'appelait Cassetti, vous savez, le cerveau de tous ces enlèvements qui ont fait tant de bruit... Y compris le kidnapping de la petite Daisy Armstrong.

— Ah !... L'ignoble salaud ! s'exclama le jeune homme.

— Vous ne vous en doutiez pas le moins du monde ?

— Ça, non, alors !... Vous pouvez me croire !... Si j'avais su, je me serais coupé la main droite plutôt que de lui devoir quoi que ce soit !

— Je vous trouve bien passionné, Mr MacQueen.

— C'est normal, monsieur Poirot. Mon père était le procureur de district qui a été chargé de l'affaire Armstrong. Et, moi, j'ai souvent vu Mrs Armstrong... Une femme adorable... Si douce... Et complètement désespérée... »

Le visage du jeune homme s'assombrit.

« Si jamais quelqu'un n'a pas volé ce qui lui est arrivé, c'est bien Ratchett, ou Cassetti, comme vous voudrez. Je suis vraiment ravi de sa mort. Un homme comme ça n'avait plus le droit de vivre !

— J'ai l'impression que vous vous seriez bien chargé vous-même d'en débarrasser la planète, dit Poirot.

— Ah, ça oui !... Je... (Il s'arrêta, rougissant.) J'ai l'impression que je suis en train de m'accuser moi-même.

— Je dois dire, Mr MacQueen, que je vous soup-

çonnerais davantage si vous vous croyiez obligé de porter le deuil ostentatoire[1] de votre patron.

— Je ne pourrais pas. Même si c'était le seul moyen d'éviter la chaise électrique, grinça MacQueen. Si ce n'est pas abuser de votre patience, comment avez-vous trouvé le truc ?... Je veux dire, la véritable identité de Ratchett ?

— Dans son compartiment, j'ai ramassé un fragment d'une lettre...

— Mais voyons, elle a pourtant bien... enfin je veux dire... quelle maladresse de la part de ce vieux schnock.

— C'est une question de point de vue, Mr MacQueen », répondit Poirot.

Cette remarque parut laisser le jeune homme abasourdi. Il fixait Poirot des yeux pour essayer de comprendre.

« Ma première tâche, dit Poirot, c'est d'enregistrer les mouvements de chacun des passagers. Ne soyez pas vexé. Dans une enquête, c'est la routine, vous comprenez ?

— Ouais !... Continuons, et comme ça, je me sentirai plus à l'aise.

— Je ne vais pas vous demander le numéro de votre compartiment, reprit Poirot, souriant, puisque j'y ai passé une nuit avec vous. C'est un compartiment de

---

1. Bien visible, qui veut se montrer.

seconde classe, lits numéros 6 et 7, que vous avez eu pour vous tout seul après mon déménagement.

— Exact.

— Maintenant, Mr MacQueen, je veux votre emploi du temps détaillé après votre départ du wagon-restaurant à la fin du dîner.

— C'est tout simple. Je suis retourné dans mon compartiment, j'ai lu un peu. À Belgrade, je suis descendu sur le quai pour me changer les idées, mais il faisait si froid que je suis vite remonté dans le wagon. J'ai parlé pendant un moment avec cette jeune Anglaise qui est dans le compartiment d'à côté. Et puis, je ne sais pas trop comment, j'ai commencé à discuter avec cet Anglais... Le colonel Arbuthnot... D'ailleurs, vous êtes passé dans le couloir et vous nous avez sûrement entendus. Et puis je suis allé dans le compartiment de Mr Ratchett, et il m'a refilé ces mémos sur des lettres que je devais préparer. Je lui ai dit bonsoir et je suis parti. Le colonel Arbuthnot était toujours dans le couloir. Le conducteur avait déjà fait son lit, alors je lui ai proposé de venir bavarder dans mon compartiment. J'ai commandé des boissons, et nous sommes allés chez moi. On a parlé politique, on a évoqué la situation aux Indes, les problèmes financiers des États-Unis et la crise de Wall Street. En général, je n'aime pas trop les Britiches[1] – on a toujours

---

1. Terme péjoratif pour désigner les Anglais.

l'impression qu'ils ont avalé leur parapluie –, mais celui-là me plaît bien.

— Savez-vous à quelle heure il vous a quitté ?

— Bigrement tard. Vers 2 heures, j'imagine.

— Vous aviez remarqué que le train était bloqué ?

— Je pense bien !... On y a réfléchi deux minutes. On a regardé et on a vu que la neige était sacrément épaisse, mais on n'a pas pensé que c'était grave.

— Dites-moi ce qui s'est passé quand le colonel a fini par vous dire bonsoir.

— Eh bien, il est retourné dans son compartiment, et, moi, j'ai demandé au conducteur de faire mon lit.

— Où étiez-vous pendant qu'il l'a fait ?

— Dans le couloir. J'ai fumé une cigarette.

— Et puis ?

— Et puis je me suis couché, et j'ai dormi jusqu'à ce matin.

— Hier soir, vous êtes sorti du train à un moment quelconque ?

— Arbuthnot et moi, nous sommes allés nous dégourdir les jambes à... Je ne sais plus bien comment ça s'appelle... À Vincovci. Mais il faisait un froid de canard... Une bise à ne pas mettre un chat dehors... On a eu vite fait de remonter dans le wagon !...

— Vous étiez descendus par quelle portière ?

— La plus proche de nos compartiments.

— Celle du côté du wagon-restaurant ?

— Exact.

— Vous rappelez-vous si elle était verrouillée ou pas ?

— Euh... Oui... Enfin, il y avait une espèce de tige qui bloquait la poignée. C'est ça que vous voulez dire ?

— Oui. Avez-vous remis cette tige en place quand vous êtes remontés dans le wagon ?

— Ça alors... Je n'en sais rien... Je suis remonté derrière le colonel... Je ne me rappelle pas avoir touché à ce truc... C'est important ?

— Peut-être. Par ailleurs, dit Poirot, je suppose que, pendant que vous parliez avec le colonel Arbuthnot, la porte de votre compartiment était restée ouverte ? »

Hector MacQueen acquiesça.

« Ce que je voudrais, reprit Poirot, c'est que vous me disiez si vous avez vu passer quelqu'un dans le couloir depuis notre départ de Vincovci jusqu'au moment où vous avez quitté le colonel. »

Sourcils froncés, MacQueen réfléchit un instant :

« Si je me souviens bien, j'ai vu passer une fois notre conducteur qui allait vers le wagon-restaurant. Et puis une femme, dans l'autre sens.

— Une femme ?... Laquelle ?...

— Je ne sais pas. Je n'ai pas fait vraiment attention. Vous comprenez, j'étais en pleine discussion avec Arbuthnot. J'ai juste vu passer une espèce de machin rouge. Mais je ne regardais pas par là, et je n'aurais pas pu voir la tête que cette bonne femme avait. Comme vous le savez, mon compartiment est du côté du wagon-restaurant. Et si une bonne femme marche dans cette direction, je ne peux la voir que de dos.

— Elle allait aux toilettes, je suppose, dit Poirot en hochant la tête.

— Probablement.

— Et vous ne l'avez pas vue revenir ?

— Non, je n'y ai pas fait attention. Mais j'imagine qu'elle est effectivement revenue.

— Encore une question. Fumez-vous la pipe, Mr MacQueen ?

— Pas du tout, monsieur. »

Poirot s'accorda une petite pause.

« Je crois que j'en ai fini avec vous, Mr MacQueen. Maintenant, c'est le valet de chambre de Mr Ratchett que je voudrais voir. À propos, vous et lui voyagez toujours en deuxième classe ?

— Lui, oui. Moi, en général, j'étais en première. Et, si possible, dans le compartiment voisin de celui de Mr Ratchett. Comme ça, il pouvait mettre toutes ses valises chez moi, et il avait le tout, les valises et moi, sous la main. Mais l'autre jour, tous les compartiments de première étaient réservés, sauf celui qu'il a eu...

— Je vois. Merci, Mr MacQueen. »

3

Le témoignage du valet de chambre

À l'Américain succéda l'Anglais livide aux traits impassibles que Poirot avait déjà remarqué la veille. Il restait debout, un peu guindé. D'un geste, Poirot lui indiqua un siège.

« Sauf erreur de ma part, vous êtes le valet de chambre de Mr Ratchett ?

— Oui, monsieur.

— Quelle est votre identité complète ?

— Edward Henry Masterman.

— Votre âge ?

— Trente-neuf ans.

— Votre adresse personnelle ?

— 21 Friar Street, à Clerkenwell.

— On vous a dit que votre patron avait été assassiné ?

— Oui, monsieur. C'est un événement dramatique.

— Pourriez-vous, s'il vous plaît, me dire à quelle heure vous avez vu Mr Ratchett pour la dernière fois ?

— Hier soir, monsieur, vers 9 heures, à peu près, dit le valet de chambre après un instant de réflexion. C'est ça, ou un petit peu plus tard.

— Dites-moi très exactement comment cela s'est passé.

— Comme d'habitude, je me suis rendu auprès de Mr Ratchett, et je me suis occupé de l'exécution de mes tâches.

— Qu'aviez-vous précisément à faire ?

— Plier ou suspendre ses vêtements, monsieur. Mettre son dentier dans l'eau, et vérifier qu'il ait bien à sa disposition pour la nuit tout ce qu'il désirait.

— S'est-il comporté à peu près comme d'habitude ? »

Le valet de chambre réfléchit un moment :

« Eh bien, monsieur, je pense qu'il se turlupinait[1].

— Se turlupinait ? Dans quel sens ?

— Au sujet d'une lettre qu'il avait lue. Il m'a demandé si c'était moi qui l'avais mise dans le compartiment. Bien sûr, je lui ai affirmé que je n'avais rien fait de tel. Mais il a crié après moi, et il a trouvé que tout ce que je faisais allait de travers.

— Était-ce inhabituel ?

— Oh, non, monsieur. Il se mettait facilement en colère. Mais comme je le disais, ça dépendait de ce qui le turlupinait.

— Est-ce que votre patron prenait des somnifères ? »

Attentif, le Dr Constantine se pencha comme pour mieux entendre.

« Quand il prenait le train, toujours, monsieur. Il disait qu'autrement, il ne pouvait pas dormir.

— Savez-vous quel médicament il avait l'habitude de prendre ?

— Ça, monsieur, je ne pourrais vous dire. Il n'y

1. Était soucieux.

avait pas de nom sur le flacon. Juste une étiquette, avec marqué dessus *"Portion dormitive*[1]. *À prendre au coucher"*.

— Il en a pris hier soir ?

— Oui, monsieur. J'ai versé moi-même la dose dans le verre, et je l'ai posé à côté de lui, sur le couvercle du lavabo.

— L'avez-vous vu boire sa potion de vos propres yeux ?

— Non, monsieur.

— Bien. Et qu'est-ce qui s'est passé ensuite ?

— Je lui ai demandé s'il avait encore besoin de moi, et à quelle heure il fallait le réveiller. Mais il a répondu qu'il ne voulait pas être dérangé tant qu'il n'aurait pas sonné.

— C'était normal ?

— Tout à fait normal, monsieur. Il avait l'habitude de sonner le conducteur et de l'envoyer me chercher quand il était disposé à se lever.

— En général, il se levait tôt, ou tard ?

— Ça dépendait de son humeur, monsieur. Des fois, il se levait pour le petit déjeuner. Mais des fois, il restait au lit jusqu'à l'heure du déjeuner.

— Si je comprends bien, vous n'aviez pas de raison de vous inquiéter quand la matinée s'est avancée sans qu'il vous ait fait appeler ?

— Non, monsieur.

---

1. Pour dormir.

— Vous saviez que votre patron avait des ennemis ?

— Oui, monsieur, dit le valet de chambre sans ciller[1].

— Comment le saviez-vous ?

— Je l'avais entendu parler de certaines lettres avec Mr MacQueen, monsieur.

— Masterman, quels sentiments aviez-vous à l'égard de votre patron ? »

Les traits du valet de chambre se firent plus inexpressifs encore que de coutume.

« Je préférerais ne pas parler de ça, monsieur. C'était un patron généreux.

— Mais vous ne l'aimiez pas ?

— Eh bien, disons, monsieur, que je n'aime pas beaucoup les Américains.

— Vous êtes déjà allé en Amérique ?

— Non, monsieur.

— Vous souvenez-vous d'avoir lu dans les journaux des articles sur l'enlèvement de la petite Armstrong ?

— Oui, monsieur, bien sûr. »

Les joues du valet rosirent quelque peu.

« Une très petite fille, n'est-ce pas ? Une affaire répugnante, monsieur.

— Saviez-vous que votre patron, Mr Ratchett, était le coupable principal dans cette horrible affaire ?

— Évidemment non, monsieur ! s'écria le valet

---

1. Avec un calme remarquable.

dont la voix, pour la première fois, exprimait quelque sentiment. Et vraiment, monsieur, je n'arrive pas à le croire.

— Néanmoins, c'est la vérité. Venons-en maintenant à ce que vous avez fait hier soir. Ce sont des questions de routine, vous le comprenez. Qu'avez-vous fait après avoir quitté votre patron ?

— Monsieur, je suis allé dire à Mr MacQueen que le patron voulait le voir. Puis je suis rentré dans mon propre compartiment, et j'ai lu.

— Votre compartiment, c'est...

— Le dernier, monsieur. Seconde classe. À côté du wagon-restaurant.

— Je vois, dit Poirot après un coup d'œil au plan. Et vous avez quel lit ?

— Celui du bas, monsieur.

— Le numéro 4 ?

— Oui, monsieur.

— Il y a quelqu'un d'autre dans votre compartiment ?

— Oui, monsieur. Un gros Italien.

— Il parle anglais ?

— Oui... Enfin, une espèce d'anglais, monsieur, lâcha Masterman d'un ton méprisant. Il a vécu en Amérique... À Chicago, je crois...

— Vous avez beaucoup parlé avec lui ?

— Non, monsieur. Je préfère lire. »

Poirot esquissa un sourire. En imagination, il voyait

bien la rebuffade[1] sans fioritures[2] infligée au gros Italien volubile par le valet de chambre devenu plus snob que ses patrons successifs.

« Puis-je vous demander ce que vous lisez ? demanda-t-il.

— En ce moment, monsieur, je lis *La Prisonnière de l'amour,* de Mrs Arabella Richardson.

— Et ça vous plaît, ce genre de littérature ?

— Que Monsieur me pardonne, mais je trouve que c'est un bien beau livre, monsieur.

— Bien. Continuons. Vous êtes donc retourné dans votre compartiment. Puis vous avez lu *La Prisonnière de l'amour...* jusqu'à quelle heure ?

— Vers 10 heures et demie, monsieur, l'Italien a voulu se coucher. Alors, le conducteur est venu faire les lits.

— Alors, vous êtes allé au lit et vous avez dormi ?

— Je me suis couché, mais je n'ai pas dormi.

— Qu'est-ce qui vous a empêché de dormir ?

— J'avais mal aux dents, monsieur.

— Oh là là ! Ça, c'est douloureux !

— Extrêmement douloureux, monsieur.

— Vous avez pris quelque chose ?

— J'ai mis sur ma dent de l'essence de girofle, et ça a un peu calmé la douleur, mais je ne suis quand même pas arrivé à dormir. Alors, j'ai allumé la lampe

1. Mauvais accueil.
2. Massif, sans ménagements.

au-dessus de ma tête, et j'ai continué ma lecture. Pour me changer les idées, pour ainsi dire.

— Et vous n'avez vraiment pas dormi du tout ?

— Si, monsieur. J'ai fini par m'assoupir, vers 4 heures du matin.

— Et votre compagnon de compartiment ?

— L'Italien ? Il n'a fait que ronfler.

— Il n'a pas quitté le compartiment de toute la nuit ?

— Non, monsieur.

— Et vous ?

— Moi non plus, monsieur.

— Pendant la nuit, vous n'avez rien entendu de particulier ?

— Je ne vois pas, monsieur. Enfin, rien d'anormal. Comme le train était arrêté, c'était vraiment très tranquille. »

Poirot garda le silence un moment...

« Eh bien, je crois que nous nous sommes à peu près tout dit. Vous ne voyez rien qui puisse m'éclairer sur les circonstances du drame que nous connaissons ?

— Je crains que non, monsieur. J'en suis désolé.

— Pour autant que vous puissiez le savoir, il n'y avait pas de dispute ou de ressentiment entre votre patron et Mr MacQueen ?

— Oh non, monsieur. Mr MacQueen est quelqu'un de très bien.

— Où étiez-vous avant d'entrer au service de Mr Ratchett ?

— Je servais chez Sir Henry Tomlinson, monsieur, à Grosvenor Square.

— Pourquoi avez-vous quitté cette place ?

— Sir Henry partait s'installer en Afrique de l'Est, et il n'avait plus besoin de mes services, monsieur. Mais je suis sûr qu'il pourra fournir de bonnes références à mon sujet, monsieur. Je l'ai servi pendant plusieurs années.

— Et vous étiez avec Mr Ratchett... depuis combien de temps ?

— Depuis neuf bons mois, monsieur.

— Merci, Masterman. À propos, êtes-vous fumeur de pipe ?

— Non, monsieur. Je ne fume que la cigarette. Des brunes, monsieur.

— Je vous remercie. Ce sera tout pour le moment.

— Que Monsieur me pardonne, dit le valet de chambre après une seconde d'hésitation, mais la dame américaine est, si je peux me permettre, dans un drôle d'état. Elle répète qu'elle sait tout sur l'assassin. Elle est vraiment très agitée, monsieur.

— Dans ce cas, mieux vaut la voir tout de suite, dit Poirot en souriant.

— Voulez-vous que je la prévienne, monsieur ? Cela fait déjà un moment qu'elle exige d'être reçue par un responsable. Le conducteur a essayé de la calmer.

— Mon ami, envoyez-la-nous, dit Poirot. Nous ne la priverons pas plus longtemps du plaisir de nous débiter ses histoires. »

4

Le témoignage de la dame américaine

Mrs Hubbard fit son entrée dans un état d'excitation tel qu'elle en avait quasiment perdu la respiration et qu'elle n'en parvenait plus que malaisément à articuler les syllabes :

« Je veux savoir. Qui est responsable ici ? Je suis en possession de renseignements très importants, vraiment *très* importants, et je dois les fournir au plus vite à un responsable. Si l'un de vous, messieurs... »

Son regard incertain se fixait tour à tour sur l'un des trois hommes. Poirot s'inclina :

« Si vous le voulez bien, madame, c'est à moi que vous ferez vos révélations. Mais, auparavant, je vous prie de vous asseoir. »

Mrs Hubbard se laissa lourdement tomber sur le siège placé en face de lui.

« Je n'ai à vous dire qu'une seule chose. Hier soir, il y avait un assassin dans ce train, et cet assassin se trouvait *très précisément dans mon compartiment à moi.* »

Elle marqua quelques secondes d'arrêt pour donner à ses paroles le temps de faire leur effet.

« Êtes-vous bien sûre de ce que vous avancez, madame ?

— Naturellement j'en suis sûre ! Cette idée ! Je sais ce que je dis, quand même ! Je vais tout vous raconter dans le détail. Je m'étais couchée et m'étais endormie, quand tout d'un coup je me suis réveillée – il faisait nuit noire – et j'ai compris qu'il y avait un homme dans mon compartiment. J'ai eu si peur que je n'ai même pas eu la force de crier au secours, si vous voyez ce que je veux dire. Je suis restée sans bouger. "Miséricorde ! ai-je pensé, on va me tuer." Je ne peux même pas dire ce que je ressentais. Je ne faisais que penser à tous ces trains qui ont si mauvaise réputation et à ce que j'avais lu sur les turpitudes[1] qui s'y passent. Et puis j'ai pensé : "En tout cas, il n'aura pas mes bijoux." Parce que, vous comprenez, je les avais tous mis dans un bas, cachés sous mon matelas. Entre parenthèses, ça n'est pas très confortable, ça fait comme une drôle

1. Choses louches.

de bosse, si vous comprenez ce que je veux dire. Mais ça n'a rien à voir... Où en étais-je, déjà ?

— Vous veniez de comprendre, madame, qu'il y avait un homme dans votre compartiment.

— Ah oui ! j'y suis. Donc, j'étais là, sans bouger, les yeux fermés. Et je n'arrêtais pas de me demander ce qu'il fallait faire, et je pensais tout le temps que c'était vraiment bien que ma fille ne puisse pas voir la triste situation dans laquelle se trouvait sa pauvre mère. Et puis alors, là, tout d'un coup, j'ai comme retrouvé mes esprits. J'ai un peu cherché avec la main et j'ai trouvé le bouton de la sonnerie d'appel du conducteur, et j'ai appuyé. Et puis j'ai appuyé, et puis j'ai appuyé encore, mais il ne se passait rien du tout. "Miséricorde ! me suis-je dit. Ils ont peut-être massacré tout le monde dans le train." En plus, on était à l'arrêt et il y avait comme une espèce de silence malsain. Mais moi, je continuais à appuyer sur ma sonnette. Et je ne pourrais pas vous dire comme je me suis sentie mieux quand j'ai entendu des pas qui couraient dans le couloir et puis qu'on a frappé à ma porte. Alors, j'ai hurlé : "Entrez", et, en même temps, j'ai allumé la lumière. Eh bien, croyez-le si vous voulez, il n'y avait personne d'autre que moi dans le compartiment. »

Mrs Hubbard semblait convaincue que ce dernier point marquait le sommet de son récit.

« Que s'est-il passé ensuite, madame ?

— Alors, j'ai dit au conducteur ce qui venait d'arriver, et, apparemment, il ne m'a pas crue. En fait, il avait l'air de penser que j'avais seulement fait un mauvais rêve. Je lui ai demandé de regarder sous le siège, même s'il m'avait affirmé qu'il n'y avait pas assez de place pour qu'un homme puisse s'y glisser. Il n'y avait pas de doute que mon lascar[1] était reparti, mais il y avait bien eu un homme dans mon compartiment, et le conducteur a failli me rendre folle avec sa façon d'essayer de me calmer comme un bébé ! Enfin !... Je ne suis quand même pas une femme qui se fait des idées, Mr... Je ne crois pas que je connaisse votre nom...

— Poirot, madame. Puis-je vous présenter M. Bouc, l'un des directeurs de la Compagnie des wagons-lits, et le Dr Constantine ?

— Enchantée, croyez-moi, de faire votre connaissance », murmura Mrs Hubbard, sans s'adresser à l'un des trois hommes en particulier.

Puis, sans désemparer[2], elle reprit son récit :

« Je vais être honnête. Je n'ai pas été aussi maligne que j'aurais dû. Je m'étais mis dans l'idée que l'homme en question, c'était celui du compartiment d'à côté, le pauvre type qui a été tué. J'ai dit au conducteur de vérifier la porte entre nos deux compartiments et, comme de bien entendu, elle n'était pas verrouillée. Dès que j'ai vu ça, je lui ai dit de mettre le verrou pas plus tard que tout de suite. Et puis quand il est reparti,

1. Homme qui fait le malin.
2. Sans se laisser émouvoir.

je me suis levée, et j'ai coincé une valise contre la porte pour être bien sûre.

— Quelle heure était-il à peu près à ce moment-là, Mrs Hubbard ?

— Ça, vraiment, je ne peux pas vous le dire. Je n'ai pas pris le temps de vérifier. J'étais bien trop bouleversée.

— Et que pensez-vous de ces événements, maintenant ?

— Eh bien, à mon avis, c'est simple comme bonjour ! Le type dans mon compartiment, c'était l'assassin. Je ne vois pas qui ça pourrait être d'autre !...

— Et vous pensez qu'il est retourné dans le compartiment d'à côté ?

— Comment pourrais-je savoir par où il est parti ? J'avais les yeux fermés !

— Il pourrait s'être glissé par la porte du couloir ?

— Je n'en sais vraiment rien. J'avais les yeux fermés, je vous l'ai déjà dit. »

Et elle ajouta, avec un soupir à la limite du sanglot : « Miséricorde ! Ce que j'ai eu peur ! Ah, si ma fille savait...

— Ne pensez-vous pas, madame, que ce que vous avez entendu était le bruit fait par quelqu'un dans le compartiment d'à côté, celui de l'homme qui a été tué ?

— Non, je ne pense pas, monsieur... comment est-ce déjà ?... Poirot. Le type était bien là, *dans mon propre compartiment*. Et, d'ailleurs, j'ai une preuve ! »

Avec une mine triomphante, elle exhiba un sac à main d'une taille respectable et se mit en devoir d'en extraire le contenu.

Elle produisit ainsi, successivement, deux grands mouchoirs non encore utilisés, une paire de lunettes à monture d'écaille, un flacon d'aspirine, un paquet de sels Glauber, un tube de celluloïd contenant des bonbons à la menthe d'un vert éblouissant, une paire de ciseaux, un chéquier de l'American Express, la photo d'un enfant au visage étonnamment ingrat, quelques lettres, cinq rangs de fausses perles, et, enfin, un petit objet métallique : un bouton.

« Vous voyez ce bouton ? s'écria-t-elle. Eh bien, il n'est pas à moi. Il ne vient d'aucun de mes vêtements. Je l'ai trouvé ce matin quand je me suis levée. »

Elle le posa sur la table. M. Bouc se pencha pour l'examiner et s'exclama :

« Mais c'est un bouton de tunique de conducteur des Wagons-Lits !

— Tout cela peut avoir une explication simple, fit remarquer Poirot. Madame, ce bouton a pu tomber de l'uniforme du conducteur, quand il a fouillé votre compartiment cette nuit, ou bien pendant qu'il faisait le lit hier soir.

— Vous êtes vraiment bien bizarres, tous ! Rien que des commentaires négatifs ! Écoutez-moi un peu. Hier soir, avant de m'endormir, j'ai lu un magazine. Et, avant d'éteindre, j'ai posé ce magazine sur un petit bagage que j'avais laissé sur le plancher, près de la fenêtre. Vous voyez le tableau ? »

Les trois hommes assurèrent Mrs Hubbard qu'ils avaient le tableau bien dans l'œil.

« Bon, très bien. Eh bien, le conducteur est resté près de la porte pour regarder sous le siège, et puis il est entré dans le compartiment pour verrouiller la porte de communication, mais il ne s'est jamais approché de la fenêtre. Et ce matin, ce bouton était sur le magazine. J'aimerais bien savoir ce que vous dites de ça ?

— Madame, je dirais que nous avons un indice, répondit Poirot.

— Quand on ne me croit pas, ça me rend à moitié folle ! répliqua l'Américaine que la réponse de Poirot semblait avoir rassérénée.

— Madame, reprit Poirot, toujours apaisant, vous nous avez fourni un témoignage à la fois intéressant et précieux. Puis-je vous poser maintenant quelques questions ?

— Mais... volontiers...

— Vous trouviez ce Ratchett bien inquiétant. Comment se fait-il que vous n'ayez pas verrouillé la porte entre vos deux compartiments ?

— Mais si ! rétorqua vivement Mrs Hubbard.

— Ah bon ?

— Eh bien... en fait, j'ai demandé à cette Suédoise – elle est charmante, d'ailleurs – si c'était fermé, et elle m'a dit que c'était fermé.

— Vous ne pouviez pas le voir par vous-même ?

— Non, j'étais déjà au lit et ma trousse de toilette était accrochée à la poignée de la porte.

— À quelle heure lui avez-vous demandé de vérifier ?

— Laissez-moi réfléchir... Entre 10 heures et demie et 11 heures moins le quart, en gros. Elle était venue me demander si j'avais de l'aspirine. Je lui ai dit où j'en avais, et elle l'a prise dans ma mallette.

— Vous étiez vous-même déjà au lit.

— Oui. Pauvre chatte, ajouta-t-elle en riant, elle était dans un état... Vous comprenez, elle s'était trompée, et elle avait ouvert la porte de l'autre compartiment.

— Celui de Mr Ratchett ?

— Oui. Vous savez comme c'est difficile de s'y retrouver dans le wagon quand toutes les portes sont fermées. Elle l'a ouverte par erreur, et ça l'a mise sens dessus dessous. Il a éclaté de rire, à ce qu'il semble, et il lui a dit quelque chose de vraiment pas très poli. La pauvre, elle lui avait baragouiné un truc du genre : "Oh ! pardon, trompée je me suis. Pas beau, homme couché." Sur quoi il lui a rétorqué : "Tire-toi, tu es trop vieille !" »

Le Dr Constantine commença de ricaner, mais un regard glacé de Mrs Hubbard l'arrêta net.

« Il faut être parfaitement grossier pour dire cela à une dame. Et c'est très mal d'en rire. »

Le Dr Constantine présenta en hâte toutes ses excuses.

« Après cela, madame, demanda Poirot, avez-vous entendu du bruit venant du compartiment de Mr Ratchett ?

— Eh bien... Pas vraiment...

— Que voulez-vous dire, madame ?

— C'est-à-dire que... Enfin, je l'ai entendu ronfler.

— Ah bon ? Il ronflait ?

— Comme une chaudière ! La nuit d'avant, ça m'avait empêchée de dormir.

— Mais vous ne l'avez plus entendu ronfler après avoir eu cette peur à propos d'un homme dans votre compartiment ?

— Enfin, monsieur Poirot !... Comment aurais-je pu ?... Il était déjà mort !

— Oui, c'est vrai, vous avez raison, dit Poirot dont les idées paraissaient s'embrouiller. Mrs Hubbard, vous rappelez-vous l'enlèvement de la petite Armstrong ?

— Je pense bien ! Et dire que ce misérable a pu s'en tirer sans être puni !... J'aurais donné cher pour l'étrangler !

— Il ne s'en est pas tiré. Il est mort. Il est mort cette nuit.

— Vous voulez dire que... ? demanda Mrs Hubbard, soulevée de sa chaise par la surprise.

— Mais oui. Ratchett était le coupable.

— Eh bien, ça ! Eh bien, ça alors !... Il faut absolument que j'écrive à ma fille pour lui raconter ça... Mais vous vous rappelez, hier soir, quand je vous ai dit que cet homme avait une sale tête... Vous voyez que j'avais raison. Ma fille le dit toujours : "Quand Maman sent quelque chose, on peut parier son dernier dollar sur son intuition."

— Connaissiez-vous la famille Armstrong, Mrs Hubbard ?

— Non. Ils appartenaient à un milieu très fermé. Mais tout le monde disait que Mrs Armstrong était une femme délicieuse et que son mari l'adorait.

— Merci, Mrs Hubbard, vous nous avez beaucoup aidés, vraiment beaucoup. Puis-je vous demander votre identité complète ?

— Certainement. Caroline Martha Hubbard.

— Voulez-vous noter votre adresse sur ce papier ? »

Mrs Hubbard s'exécuta, sans pour autant cesser de jacasser :

« Je ne peux pas m'y faire. Cassetti... Dans ce train... J'avais eu la bonne intuition à propos de ce bonhomme, n'est-ce pas, monsieur Poirot ?

— C'est vrai, madame. À propos, possédez-vous une robe de chambre écarlate ?

— Miséricorde ! Quelle question ! Mais non. J'ai deux robes de chambre dans mes bagages. Une en flanelle rose, bien chaude pour les soirées sur le paquebot. Et puis une que m'a donnée ma fille, vous voyez, un machin artisanal en soie cramoisi-violet, quoi !

Mais, au nom du Ciel, qu'est-ce que mes robes de chambre ont à faire là-dedans ?

— Voyez-vous, madame, quelqu'un qui portait un kimono écarlate est entré hier soir dans votre compartiment ou dans celui de Mr Ratchett. Comme vous l'avez dit tout à l'heure, quand toutes les portes sont fermées, c'est très difficile de reconnaître les compartiments.

— Je peux vous dire que personne en kimono écarlate n'est entré dans mon compartiment.

— Alors, ce ne peut avoir été que dans celui de Mr Ratchett.

— Ça ne me surprendrait pas le moins du monde », dit aigrement Mrs Hubbard, la bouche pincée.

Poirot se pencha.

« Ainsi, vous avez entendu la voix d'une femme dans le compartiment d'à côté ?

— Je ne sais pas comment vous l'avez deviné, monsieur Poirot. Je ne sais vraiment pas. Mais... bon... c'est vrai... Je l'ai entendue.

— Pourtant, quand je vous ai demandé si vous aviez entendu quoi que ce soit dans le compartiment voisin, vous m'avez répondu que vous n'aviez entendu que les ronflements de Mr Ratchett...

— C'est tout ce qu'il y a de vrai. Il a ronflé comme un sonneur une bonne partie du temps. Mais pour le reste, ajouta Mrs Hubbard en rougissant, ça n'est pas très convenable d'en parler.

— Quelle heure était-il quand vous avez entendu cette voix de femme ?

— Je ne pourrais pas vous dire. Je me suis réveillée un instant, j'ai entendu cette voix de femme, et ce n'était vraiment pas difficile de deviner d'où ça venait. J'ai juste pensé : "Eh bien, c'est ce genre de zigoto !... Ça ne m'étonne qu'à moitié", et je me suis rendormie. Et, croyez-moi, je n'aurais pas parlé de ça à trois messieurs que je ne connais pas si vous ne m'y aviez pas forcée !...

— Cet... épisode... c'était avant, ou après, que vous ayez vu un homme dans votre compartiment ?

— Mais c'est la même chose que tout à l'heure ! S'il était mort, il n'y aurait pas eu de femme pour lui parler dans son compartiment !...

— Oh, pardon ! Vous devez penser, madame, que je suis un peu stupide.

— Je ne vois pas pourquoi même un homme comme vous ne s'embrouillerait pas de temps en temps. Mais je n'arrive pas à m'habituer à l'idée que cet homme qui a été tué était ce monstre de Cassetti. Qu'est-ce que ma fille dira quand... »

Poirot s'arrangea adroitement pour aider la bonne dame à remettre en place le contenu de son sac et pour la guider doucement vers la porte.

Au dernier moment, il s'exclama :

« Madame, vous avez perdu votre mouchoir. »

Mrs Hubbard jeta un coup d'œil à la batiste qu'il lui tendait.

« Ce n'est pas à moi, monsieur Poirot. J'ai mon mouchoir sur moi.

— Oh, encore une fois pardon ! J'avais pensé, à cause de l'initiale H...

— Eh bien, ça, c'est curieux, mais ça n'est en tout cas pas à moi. Mes mouchoirs sont marqués C.M.H., et sont “utilisables”. Rien à voir avec ces frivolités de Paris. Je me demande bien comment on peut se moucher avec un mouchoir pareil ! »

Aucun des trois hommes n'avait de réponse à cette question, et Mrs Hubbard, souveraine, s'en fut.

5

Le témoignage de la Suédoise

M. Bouc tournait et retournait entre ses doigts le bouton abandonné par Mrs Hubbard.

« Ce bouton... Je ne comprends pas... Cela veut-il dire que Pierre Michel, en fin de compte, est plus ou moins impliqué dans cette histoire ? »

Poirot ne répondit pas, et M. Bouc insista :

« Mon bon ami, qu'est-ce que vous en pensez ?

— Je pense que ce bouton nous conduit à plusieurs hypothèses, répliqua Poirot, pensif. Mais voyons d'abord notre Suédoise. Nous discuterons ensuite des témoignages que nous avons recueillis. »

Il fourragea[1] dans la pile de passeports qui se trouvait devant lui.

« Ah ! nous y voici. Greta Ohlsson, quarante-neuf ans. »

M. Bouc donna ses ordres à l'un des serveurs du wagon-restaurant, et l'on vit bientôt arriver une femme au chignon gris jaunâtre et au faciès long et doux de brebis résignée qu'on mène à l'abattoir. À travers ses lunettes, elle fixait sur Poirot le regard un peu flou des myopes, mais elle paraissait parfaitement calme.

Il apparut qu'elle comprenait et qu'elle parlait le français, et que c'est donc dans cette langue que la conversation se déroulerait. Poirot commença par lui poser les questions dont il connaissait par avance les réponses, sur son nom, son âge et son adresse. Il lui demanda ensuite sa profession.

Elle répondit qu'elle était infirmière diplômée, actuellement intendante d'une école des Missions, près d'Istamboul.

« Mademoiselle, vous savez naturellement ce qui s'est passé la nuit dernière ?

— Oui. C'est épouvantable. Et la dame américaine m'a dit que l'assassin était passé dans son compartiment.

— D'après ce que l'on m'a dit, mademoiselle, vous

1. Fouilla.

êtes la dernière personne à avoir vu vivant l'homme qui a été tué ?

— Je ne sais pas. Mais peut-être... J'ai ouvert par erreur la porte de son compartiment. J'étais extrêmement gênée. Vraiment, c'était une erreur très embarrassante.

— Vous l'avez bel et bien vu ?

— Oui. Il lisait un livre. Je me suis excusée tout de suite, et je suis repartie.

— Vous a-t-il dit quelque chose ? »

Une légère rougeur envahit les joues de la vertueuse personne.

« Il a ri et il a prononcé quelques mots. Je... je n'ai pas très bien compris lesquels. »

Poirot, avec tact, choisit de changer de sujet :

« Et qu'avez-vous fait après cela, mademoiselle ?

— Je suis entrée dans le compartiment de la dame américaine, Mrs Hubbard. Je lui ai demandé de l'aspirine et elle m'en a donné.

— Vous a-t-elle priée de vérifier si la porte de communication entre son compartiment et celui de Mr Ratchett était bien verrouillée ?

— Oui.

— Et elle était verrouillée ?

— Oui.

— Et après cela ?

— Après cela, je retourne dans mon compartiment, je prends l'aspirine et je m'étends.

— C'était vers quelle heure, tout cela ?

— Quand je me suis couchée, il était minuit moins 5. Je le sais parce que j'ai regardé ma montre avant de la remonter.

— Vous êtes-vous endormie rapidement ?

— Pas très rapidement. Ma migraine allait mieux, mais éveillée pendant un bon moment je suis restée.

— Avant que vous ne vous endormiez, le train s'était-il arrêté ?

— Je ne crois pas. Je me souviens juste d'une gare avant de m'assoupir.

— Ce devait être Vincovci. Maintenant, mademoiselle, votre compartiment est-il bien celui-ci ? demanda Poirot en lui montrant le plan du wagon-lit.

— Oui, c'est bien ça.

— Vous avez le lit du haut, ou celui du bas ?

— Celui du bas, le numéro 10.

— Il y a quelqu'un d'autre dans votre compartiment ?

— Oui, une jeune personne anglaise. Charmante, très aimable. Elle voyage depuis Bagdad.

— Après notre départ de Vincovci, a-t-elle quitté le compartiment ?

— Non, je suis sûre qu'elle n'a pas bougé.

— Comment pouvez-vous en être sûre si vous étiez endormie ?

— J'ai le sommeil très léger. La chute d'un brin d'herbe me réveille. Si elle était descendue du lit au-dessus de ma tête, cela m'aurait réveillée.

— Vous-même, avez-vous quitté le compartiment ?

— Pas avant ce matin.

— Possédez-vous un kimono de soie écarlate, mademoiselle ?

— Non, bien sûr. J'ai une bonne vieille robe de chambre très confortable en pilou, et puis aussi une *abba*[1] mauve pâle, comme on en trouve en Orient. »

Poirot approuva de la tête, puis il ajouta d'un ton cordial :

« Pourquoi voyagez-vous en ce moment ? Vous êtes en vacances ?

— Oui, j'ai des vacances et je rentre au pays. Mais avant, je m'arrêterai à Lausanne pendant une bonne semaine, chez l'une de mes sœurs.

— Voudriez-vous avoir la gentillesse d'écrire sur ce papier le nom et l'adresse de votre sœur ?

— Bien sûr. »

Elle prit le papier et la plume et s'exécuta sans réticence.

« Êtes-vous déjà allée en Amérique, mademoiselle ?

— Non. Mais, une fois, j'ai bien failli. Je devais y accompagner une dame impotente[2], mais ça a été annulé au dernier moment. Je l'ai bien regretté. Ce sont des gens très bons, les Américains. Ils donnent beaucoup d'argent pour les écoles et les hôpitaux, et ils sont pleins de bon sens.

---

1. Vêtement long.
2. Qui a besoin d'aide pour se déplacer.

— Vous souvenez-vous d'avoir entendu parler de l'affaire de l'enlèvement de la petite Armstrong ?

— Non. De quoi s'agissait-il ? »

Poirot raconta succinctement l'affaire. Greta Ohlsson manifesta une vive indignation en écoutant son récit. Son chignon en tremblait d'émotion.

« Dire qu'il y a dans le monde des hommes aussi mauvais ! Cela met notre foi à l'épreuve ! Je pense à la pauvre mère, et mon cœur saigne !... »

Les yeux pleins de larmes et le rouge aux joues, la Suédoise à l'âme tendre quitta le wagon-restaurant.

Poirot prenait des notes hâtives sur une feuille de papier.

« Eh bien, mon cher ami, qu'écrivez-vous là ? demanda M. Bouc.

— Mon bon, j'ai le goût des choses précises et ordonnées. Je suis en train d'établir un petit film des événements. »

Quand il en eut terminé, il passa la feuille à M. Bouc :

environ 21 h 15 :	*le train part de Belgrade.*
environ 21 h 40 :	*le valet de chambre quitte Ratchett en laissant le somnifère à côté de lui.*
environ 22 h 00 :	*MacQueen quitte le compartiment de Ratchett.*

environ 22 h 40 :	*Greta Ohlsson voit Ratchett. (Dernière fois qu'il est vu vivant.) Il était réveillé et lisait un livre.*
environ 00 h 10 :	*le train part de Vincovci (en retard).*
environ 00 h 30 :	*le train est bloqué par les congères.*
environ 00 h 37 :	*la sonnette d'appel de Ratchett est actionnée. Le conducteur arrive. Ratchett dit : « Ce n'est rien. Je me suis trompé. »*
environ 01 h 17 :	*Mrs Hubbard est convaincue qu'il y a un homme dans son compartiment et sonne le conducteur.*

M. Bouc approuva de la tête.

« Tout cela est parfaitement clair, dit-il.

— Rien de bizarre ne vous frappe ? interrogea Poirot.

— Mais non. Tout cela semble net et sans bavures. Il paraît quasi certain que le crime a été commis vers 1 h 15. C'est ce que nous indique l'heure à laquelle la montre s'est arrêtée, et cela colle parfaitement avec le témoignage de Mrs Hubbard. En ce qui me concerne, je ferais volontiers un pari sur l'identité du meurtrier. Mon cher ami, à mon avis, c'est le gros Italien. Il vient des États-Unis – de Chicago, notez-le bien. Et puis rappelez-vous que le poignard est l'arme favorite des Italiens, et qu'ils frappent non pas une seule fois, mais plusieurs.

— Ce que vous dites est vrai.

— Nous tenons là la solution du mystère, sans le moindre doute. Il est évident que Ratchett et lui ont participé conjointement à ces histoires d'enlèvements. Cassetti, c'est un nom italien. Je ne sais pas comment, mais Ratchett l'a, comme ils disent, doublé. Notre Italien a retrouvé sa piste et a commencé par lui envoyer des lettres de menace. Et, à la fin, il s'est vengé de la façon la plus brutale. Tout cela me paraît très simple. »

Poirot, dubitatif, secouait la tête.

« Je crains que ce ne soit pas aussi simple que ça, murmura-t-il.

— Moi, je suis convaincu que c'est là la vérité, confirma M. Bouc, de plus en plus persuadé de la justesse de son hypothèse.

— Et que faites-vous du témoignage du valet de chambre, que le mal aux dents a tenu éveillé et qui nous jure que notre Italien n'a pas quitté une seule seconde son compartiment ?

— C'est vrai qu'il y a un problème. »

Les yeux de Poirot s'élargirent.

« Eh oui, c'est un problème bien ennuyeux. C'est dommage pour votre hypothèse – mais très heureux pour notre Italien – que le valet de chambre de Mr Ratchett ait souffert des dents.

— On trouvera sûrement une explication », affirma M. Bouc dont rien n'ébranlait les certitudes.

Une seconde fois, Poirot secoua la tête.

« Non, c'est sûrement plus compliqué que ça », maugréa-t-il.

6

Le témoignage de la princesse russe

« Écoutons un peu ce que Pierre Michel a à nous dire au sujet de ce bouton », déclara Poirot.

On fit revenir le conducteur du wagon-lit. Il lança aux trois hommes un regard intrigué. M. Bouc s'éclaircit la voix.

« Michel, dit-il, voilà un bouton de votre tunique d'uniforme. On l'a trouvé dans le compartiment de la dame américaine. Qu'est-ce que vous dites de ça ? »

Comme par réflexe, les mains du conducteur vérifièrent le bon ordre de sa tenue.

« Je n'ai perdu aucun bouton, monsieur le directeur, dit-il. Il doit y avoir une erreur.

— C'est vraiment bizarre.

— Je n'y comprends rien, monsieur le directeur. »

L'homme paraissait stupéfait, mais pas le moins du monde coupable ou troublé. M. Bouc insista :

« Compte tenu des circonstances dans lesquelles il a été trouvé, il paraît absolument certain que ce bouton a été perdu par l'homme qui se trouvait cette nuit dans le compartiment de Mrs Hubbard quand elle a sonné pour appeler à l'aide.

— Mais, monsieur le directeur, il n'y avait personne. Cette dame s'est fait des idées.

— Non, Michel, elle ne s'est pas fait des idées. L'assassin de Mr Ratchett est passé par son compartiment... *Et il a perdu ce bouton !...* »

Soudain, Pierre Michel parut comprendre ce qu'impliquaient les paroles de M. Bouc, et il fit preuve d'une vive indignation.

« Mais ce n'est pas vrai, monsieur le directeur ! s'écria-t-il, ce n'est pas vrai ! Vous m'accusez de ce crime, monsieur le directeur ! Moi ?... Je suis innocent !... Absolument innocent !... Pourquoi aurais-je voulu tuer un monsieur que je n'avais jamais vu ?...

— Où vous trouviez-vous quand Mrs Hubbard a sonné ?

— Je vous l'ai dit, monsieur le directeur. Dans la voiture d'à côté, où je discutais avec mon collègue.

— Nous allons le faire venir.

— Oh, oui, monsieur le directeur, je vous en supplie ! »

Le conducteur de la voiture Athènes-Paris fut convoqué sur-le-champ. Il confirma immédiatement les déclarations de Pierre Michel, et ajouta que le conducteur de la voiture Bucarest-Paris s'était joint à eux. Ils avaient parlé tous les trois de la situation pro-

voquée par le blocage du train dans les congères. Après dix minutes de conversation, Pierre Michel avait cru entendre une sonnette dans la voiture dont il avait la charge. Il avait ouvert la porte du soufflet, et tous trois avaient distinctement perçu la sonnerie. Des appels répétés. Pierre Michel s'était empressé d'y répondre.

« Vous voyez bien, monsieur le directeur, que je ne suis pas coupable ! s'exclama Pierre Michel dont la voix trahissait l'angoisse.

— Et ce bouton d'uniforme des Wagons-Lits ?... Comment expliquez-vous cela ?

— Je ne sais pas, monsieur le directeur. Je n'y comprends rien. Je n'ai pas perdu un seul bouton !... »

Les deux autres conducteurs n'avaient pas perdu de bouton non plus, et ils n'avaient pénétré à aucun moment dans le compartiment de Mrs Hubbard.

« Calmez-vous, Michel, dit M. Bouc, et essayez de vous concentrer sur le moment où vous avez couru pour répondre à la sonnette de Mrs Hubbard. Avez-vous croisé quelqu'un dans le couloir ?

— Non, monsieur le directeur.

— Et vous n'avez vu personne marcher dans le couloir devant vous ?

— Encore une fois, non, monsieur le directeur.

— C'est vraiment bizarre, dit M. Bouc.

— Pas si bizarre que cela, fit remarquer Poirot. C'est une question de chronologie. Mrs Hubbard se réveille et s'aperçoit qu'il y a quelqu'un dans son compartiment. Mais, pendant une minute ou deux, elle reste pétrifiée, les yeux fermés. Probablement, c'est à ce moment-là que l'homme se glisse dans le couloir. Puis elle commence à sonner pour appeler. Mais le conducteur n'arrive pas tout de suite. Il n'entend que la troisième ou la quatrième sonnerie. Je dirais qu'il avait largement le temps de...

— Le temps de quoi, mon cher ? De quoi ? Rappelez-vous qu'il y a de véritables murailles de neige autour du train.

— Notre assassin a le choix, répondit Poirot lentement. Il pouvait se cacher dans l'une des deux toilettes, ou bien entrer dans l'un des compartiments.

— Mais ils étaient tous occupés...

— Oui.

— Vous voulez dire que... qu'il pourrait être entré dans son *propre* compartiment ? »

Poirot acquiesça de la tête.

« Ça colle, évidemment, ça colle, murmura M. Bouc. Pendant les dix minutes d'absence du conducteur, le meurtrier sort de son propre compartiment, pénètre dans celui de Ratchett, le tue, ferme le verrou et met la chaîne de sécurité, puis passe par le compartiment de Mrs Hubbard, et il revient tout tranquillement dans son propre compartiment au moment où le conducteur arrive.

— Ce n'est pas si simple que cela, mon bon, murmura Poirot. Notre ami le docteur a deux ou trois choses à vous dire. »

D'un geste, M. Bouc fit savoir aux trois conducteurs qu'ils pouvaient se retirer.

« Il nous reste huit passagers à voir, dit Poirot. Cinq de première classe : la princesse Dragomirov, le comte et la comtesse Andrenyi, le colonel Arbuthnot, et Mr Hardman. Et trois passagers de seconde classe : miss Debenham, Antonio Foscarelli, et la femme de chambre de la princesse, Fraülein Schmidt.

— Qui voulez-vous voir d'abord ? L'Italien ?

— Décidément, vous lui en voulez, à notre Italien !... Non, je vais commencer par le sommet de la pyramide. Madame la Princesse aura peut-être la bonté de nous consacrer quelques instants. Voulez-vous lui transmettre ma demande, Michel ?

— Oui, monsieur le directeur, répondit le conducteur qui quittait tout juste le wagon-restaurant.

— Dites-lui que nous pouvons parfaitement aller la voir dans son compartiment si elle ne souhaite pas prendre la peine de venir jusqu'ici », ajouta M. Bouc.

Mais la princesse Dragomirov choisit de suivre le sort commun. Elle entra dans le wagon-restaurant, salua les trois hommes d'un bref signe de tête, et s'assit en face de Poirot.

Son petit visage de crapaud paraissait plus jaune encore que la veille. Elle était incontestablement très laide et, cependant, comme le crapaud, ses yeux, sombres et autoritaires, rayonnaient, mettant à nu une énergie potentielle[1] et une puissance intellectuelle impossibles à négliger. Elle s'exprimait d'une voix profonde, très articulée, un peu rauque peut-être.

M. Bouc s'était lancé dans toutes sortes de périphrases. Elle trancha net :

« Inutile, messieurs, de me présenter vos excuses. Un meurtre a été commis, et c'est votre devoir d'interroger tous les voyageurs. Je serai heureuse de vous aider autant qu'il est en mon pouvoir.

— Je vous remercie de votre gentillesse, madame, répondit Poirot.

— Je vous en prie. J'obéis à une obligation d'honneur. Que voulez-vous savoir, messieurs ?

— Votre identité complète et votre adresse, madame. Peut-être préférez-vous les écrire vous-même ? »

Poirot lui tendait une plume et une feuille de papier. Mais elle les repoussa d'un geste.

« Vous n'aurez aucun mal à le faire. Ce n'est pas compliqué. Natalia Dragomirov, 17 avenue Kléber, à Paris.

— Vous rentrez de Constantinople, madame ?

— Oui. J'y ai séjourné à l'ambassade de Hongrie. Ma femme de chambre m'accompagne.

— Puis-je vous demander ce que vous avez fait hier soir, après le dîner ?

— Très volontiers. J'avais demandé au conducteur

1. Qui peut se libérer le moment voulu.

de préparer mon compartiment pendant que j'étais au wagon-restaurant, et je me suis couchée juste après le souper. J'ai lu jusqu'à 11 heures et j'ai éteint. Malheureusement, mes rhumatismes m'ont empêchée de m'endormir. À 1 heure moins le quart, ou à peu près, j'ai fait appeler ma femme de chambre. Elle m'a massée, et elle m'a fait la lecture jusqu'à ce que je m'endorme. Je ne pourrais pas vous dire au juste à quelle heure elle est repartie de mon compartiment. C'était peut-être une demi-heure plus tard, peut-être après.

— Le train était déjà bloqué ?

— Oui.

— Vous n'avez rien entendu... Je veux dire : vous n'avez rien entendu d'anormal pendant ce temps-là, madame ?

— Rien du tout.

— Quel est le nom de votre femme de chambre ?

— Hildegarde Schmidt.

— Depuis combien de temps est-elle à votre service ?

— Quinze ans.

— Est-elle digne de confiance ?

— Absolument. Ses parents étaient métayers[1] d'une des propriétés de mon défunt mari, en Allemagne.

---

1. Cultivateurs du domaine de quelqu'un d'autre.

— Je suis sûr que vous êtes déjà allée en Amérique, madame ? »

À cette question, les sourcils de la princesse se froncèrent.

« Très souvent, monsieur.

— Avez-vous eu, madame, quelque rapport que ce soit avec la famille Armstrong ? Une famille qui a souffert d'une épouvantable tragédie ?

— Vous parlez là d'amis très chers, monsieur, dit la vieille dame d'une voix émue.

— Alors, vous connaissiez bien le colonel Armstrong ?

— Lui, assez peu. Mais sa femme, Sonia Armstrong, était ma filleule. Sa mère, Linda Arden, la célèbre comédienne, était l'une de mes meilleures amies. Linda Arden avait du génie. C'était l'une des plus grandes tragédiennes du monde. Personne ne lui arrivait à la cheville pour jouer Lady Macbeth[1] ou Magda[2]. Je n'étais pas seulement l'une de ses admiratrices, j'étais aussi son amie.

— Est-elle toujours en vie ?

— Oui, mais elle s'est retirée du monde. Sa santé est gravement altérée, et elle reste allongée la plupart du temps.

— Je crois me souvenir qu'elle avait une autre fille ?

— Oui, mais beaucoup plus jeune que Mrs Armstrong.

---

1 et 2. Grands personnages du théâtre anglais.

— Qu'est-elle devenue ? »

La vieille dame lança à Poirot un regard acéré.

« Pardonnez-moi, monsieur, mais je crois nécessaire de vous demander la raison de toutes ces questions. Qu'ont-elles à voir avec ce qui nous occupe ?... Je veux dire : le meurtre qui a été commis à bord de ce train ?...

— Elles ont un rapport certain, madame. L'homme qui a été tué cette nuit était le principal responsable de l'enlèvement et de l'assassinat de l'enfant de Mrs Armstrong.

— Tiens donc ! lâcha la princesse en fronçant les sourcils et en se redressant plus encore sur son siège. Si je puis vous donner mon avis, voilà un meurtre qui mérite des compliments !... Vous me pardonnez, j'en suis sûre, un point de vue peut-être un peu particulier.

— Il n'a là rien que de très naturel, madame. Mais puis-je revenir à une question à laquelle vous n'avez pas répondu. Qu'est devenue la plus jeune fille de Linda Arden, la sœur de Mrs Armstrong ?

— Honnêtement, je ne pourrais pas vous le dire, monsieur. J'ai perdu le contact avec la jeune génération. Je crois me souvenir qu'elle a épousé un Anglais, il y a quelques années, et qu'elle s'est installée en Angleterre, mais, à la minute présente, je ne me rappelle pas le nom de son mari. »

La princesse marqua un temps d'arrêt, puis reprit :

« Voyez-vous d'autres questions à me poser, messieurs ?

— Une seule, madame, et – je vous prie de m'en

excuser – très intime : quelle est la couleur de votre robe de chambre ?

— J'imagine que vous devez avoir une bonne raison pour poser pareille question, dit la princesse, le front plissé. J'ai une robe de chambre de satin bleu.

— En ce qui me concerne, madame, j'ai terminé. Et je vous prie d'accepter mes remerciements pour avoir répondu si obligeamment à mes questions. »

D'un geste de sa main ornée de nombreuses bagues, la princesse signifia que tout cela avait peu d'importance. Elle se leva, et les trois hommes s'empressèrent de l'imiter.

« Pardonnez-moi, monsieur, dit-elle soudain, mais puis-je vous demander votre nom ? Il me semble que votre visage ne m'est pas étranger.

— Je suis Hercule Poirot, madame. Pour vous servir. »

La princesse resta un instant silencieuse.

« Hercule Poirot, dit-elle enfin. Oui. Je vois. Bah ! c'est le destin. »

Elle s'en fut, très droite, avec des mouvements un peu saccadés.

« Voilà une grande dame ou je ne m'y connais pas, dit M. Bouc. Que pensez-vous d'elle, cher ami ?

— Je me demande bien pourquoi elle a parlé du destin », se borna à répondre Poirot en hochant la tête.

7

Le témoignage du comte et de la comtesse Andrenyi

Poirot fit appeler ensuite le comte et la comtesse Andrenyi. Mais le comte fit seul son entrée dans le wagon-restaurant.

Incontestablement, il était bel homme. Plus d'un mètre quatre-vingts, les épaules larges et les hanches minces. Son costume de tweed anglais avait été coupé par un tailleur qui connaissait son métier, et, n'eussent été la longueur de sa moustache et ses pommettes saillantes, on aurait pu le prendre pour un sujet britannique[1].

« Eh bien, messieurs, dit-il, que puis-je pour vous ?

— Monsieur le comte, répondit Poirot, je suis sûr

1. Habitant du Royaume-Uni.

que vous comprendrez que les événements me contraignent à interroger tous les voyageurs de ce wagon.

— Je le comprends parfaitement, répondit le comte affable. Je crains bien, cependant, que mon épouse et moi-même ne puissions vous être d'aucun secours. Nous dormions et n'avons rien entendu.

— Savez-vous qui était le défunt ?

— J'ai cru comprendre que c'était ce grand Américain. Un visage au demeurant peu sympathique. Au repas, il s'asseyait à cette table, là. »

D'un mouvement du menton, il désignait la table où Ratchett et MacQueen avaient pris place.

« C'est bien cela, monsieur le comte. Mais je vous demandais en fait si vous connaissiez le nom de cet homme.

— Non, répondit le comte qui paraissait absolument surpris par les questions de Poirot. Si vous voulez le savoir, il figure certainement sur son passeport.

— Son passeport portait le nom de Ratchett, répondit Poirot. Mais ce n'était pas sa véritable identité, monsieur le comte. En réalité, il s'appelait Cassetti, et il était le principal coupable d'une affaire d'enlèvement qui avait soulevé l'indignation des États-Unis tout entiers. »

Pendant qu'il parlait, Poirot observait attentivement le comte qui ne paraissait pas le moins du monde intéressé par cette information et se contenta d'un regard poli.

« Tiens, dit-il, cela donne un éclairage particulier à ce qui s'est passé. Décidément, l'Amérique est un pays extraordinaire.

— Peut-être y êtes-vous déjà allé, monsieur le comte ?

— J'ai, en effet, été en poste à Washington, pendant une année.

— Et peut-être connaissiez-vous la famille Armstrong ?

— Armstrong ?... Armstrong ?... Je ne me rappelle pas... Un diplomate rencontre tant de gens..., répondit le comte, souriant, en haussant les épaules. Mais revenons-en, messieurs, au problème qui vous occupe. Que puis-je faire de plus pour vous aider ?

— Monsieur le comte, à quelle heure la comtesse et vous-même vous êtes-vous retirés pour dormir ? »

Du coin de l'œil, Poirot vérifiait le plan de la voiture-lit. Le comte et la comtesse occupaient deux compartiments adjacents[1], les numéros 12 et 13.

« Nous avions demandé qu'un des deux compartiments soit préparé pour la nuit pendant le dîner. Nous nous sommes installés dans l'autre en revenant du souper.

— Lequel était-ce ?

— Le numéro 13. Nous avons fait une partie de piquet[2]. Vers 11 heures, mon épouse a souhaité se coucher. Le conducteur a préparé mon compartiment, et

1. Situés côte à côte.
2. Jeu de cartes.

je suis également allé au lit. Et j'ai dormi profondément jusqu'à ce matin.

— Aviez-vous remarqué que le train était bloqué ?

— Je ne m'en suis aperçu qu'en me réveillant.

— Et madame la comtesse ?

— Quand elle voyage par le train, dit le comte avec un sourire, mon épouse prend toujours un somnifère. Et, hier soir, elle a pris du Trional, comme d'habitude. Je regrette de ne pouvoir vous apporter quelque assistance que ce soit. »

Poirot lui tendit une plume et une feuille de papier.

« Je vous remercie, monsieur le comte. C'est une formalité, mais voudriez-vous inscrire ici votre nom et votre adresse ! »

Le comte écrivit lentement, et avec soin.

« Je crois en effet qu'il vaut mieux que je l'écrive moi-même, remarqua-t-il, enjoué. Le nom de mon domaine est assez difficile à épeler pour ceux qui ne sont pas familiers de la langue magyare[1]. »

Il rendit la feuille à Poirot, et se leva.

« Je pense qu'il n'est pas nécessaire que vous rencontriez ma femme, messieurs. Elle ne pourrait rien vous dire de plus que moi. »

Une petite lueur s'alluma dans le regard de Poirot.

« Sans aucun doute... Sans aucun doute... Je suis toutefois convaincu qu'il serait utile que j'échange quelques mots avec madame la comtesse.

1. Hongroise.

— Je vous assure que ce n'est pas nécessaire, dit le comte, d'une voix assez autoritaire.

— Ce ne sera qu'une formalité, répliqua Poirot, très aimable. Mais vous comprendrez que je ne puisse m'en passer pour mon rapport.

— Soit », concéda le comte, de mauvaise grâce.

Il s'inclina sèchement, très Europe centrale, et quitta le wagon-restaurant.

Poirot saisit un passeport. Il portait le nom et l'énumération des titres du comte. Le détective passa à la page suivante : *Accompagné par son épouse. Prénoms : Elena Maria. Nom de jeune fille : Goldenberg. Âge : vingt ans*. Un fonctionnaire peu soigneux avait fait une tache de graisse sur cette page.

« Diable, dit M. Bouc, un passeport diplomatique. Mon cher ami, nous devons être très attentifs à ne pas vexer ces gens-là. Ils ne peuvent avoir quoi que ce soit à faire dans ce meurtre.

— Ne vous inquiétez pas, très cher. Je vais procéder avec le maximum de tact. Ce ne sera vraiment qu'une formalité. »

Il se tut au moment où la comtesse faisait son entrée. Elle paraissait intimidée, et elle était absolument délicieuse.

« Vous avez souhaité me voir, messieurs ? »

Poirot se leva courtoisement et s'inclina pour la faire asseoir dans le siège en face de lui.

« Madame la comtesse, ce ne sera qu'une brève formalité. Je voulais seulement vous demander si, la nuit dernière, vous avez vu, ou entendu, quoi que ce soit qui puisse nous aider à progresser dans notre enquête ?

— Rien du tout, cher monsieur. Je dormais.

— Par exemple, vous n'avez pas noté d'agitation dans le compartiment voisin du vôtre ? La dame américaine qui l'occupe a fait une sorte de crise d'hystérie[1] et a sonné pour appeler le conducteur à l'aide.

— Je n'ai vraiment rien entendu, cher monsieur. J'avais pris un somnifère, comprenez-vous ?

— Mais... je comprends tout à fait... Eh bien, madame la comtesse, je ne vous retiendrai pas davantage. »

Elle se leva avec vivacité.

« Pardonnez-moi, reprit Poirot. Une toute dernière question. Les indications qui figurent sur le passeport de votre mari... je veux dire : votre nom de jeune fille, votre âge, et ainsi de suite... sont-elles exactes ?

— Parfaitement exactes, cher monsieur.

— Puis-je, dans ce cas, vous demander de signer ce papier pour le confirmer ? »

Elle traça vivement sa signature. Des lettres penchées, un peu enjolivées[2] : *Elena Andrenyi.*

« Aviez-vous accompagné votre époux aux États-Unis, madame la comtesse ?

— Non, cher monsieur, répondit-elle, un peu rou-

1. Très grand énervement, presque une crise de nerfs.
2. Ornées.

gissante mais avec un sourire. C'était avant notre mariage. Nous ne sommes mariés que depuis un an.

— Eh bien, madame la comtesse, je vous remercie infiniment. Oh ! en passant : votre mari fume-t-il ?

— Oui.

— La pipe ?

— Non, la cigarette et le cigare.

— Je vous remercie. »

Elle tardait à s'en aller, et observait Poirot avec curiosité. Elle avait des yeux superbes, noirs, en amande, et de très longs cils noirs qui mettaient en valeur la fine complexion[1] de ses joues. Ses lèvres, très rouges, étaient à peine entrouvertes. Elle offrait l'image d'une beauté un peu étrange.

« Pourquoi me demandez-vous cela, monsieur ?

— Madame la comtesse, dit Poirot en esquissant de la main un geste vague, nous autres détectives devons quelquefois poser les questions les plus saugrenues[2]. Condescendriez-vous, par exemple, à me dire la couleur de votre robe de chambre ? »

Elle eut un regard stupéfait. Puis elle éclata de rire :

« Elle est en mousseline de soie, jaune paille. Est-ce vraiment important ?

— Très important, madame.

— Alors, vous êtes réellement détective ? demanda-t-elle.

— Oui, madame la comtesse, pour vous servir.

---

1. Couleur de la peau.
2. Bizarres.

— Je croyais qu'il n'y avait pas de policiers à bord du train pendant toute la traversée de la Yougoslavie. Pas avant le passage de la frontière italienne.

— Je ne suis pas un détective yougoslave, madame la comtesse. Je suis détective international.

— Vous appartenez à la Société des Nations ?

— J'appartiens au monde entier, rétorqua Poirot avec emphase[1]. Mais je travaille essentiellement à

1. Sur un ton un peu pompeux.

Londres. Vous parlez l'anglais ? ajouta-t-il dans cette langue.

— Oui, un petit peu », dit-elle avec un accent délicieux.

Poirot s'inclina une fois encore.

« Madame la comtesse, je ne vous retiendrai pas davantage. Vous avez vu que ce n'était pas si terrible. »

Elle sourit, salua d'un mouvement de la tête, et sortit.

« Quelle jolie femme, soupira M. Bouc, en vieux connaisseur. Mais nous n'en sommes pas plus avancés pour autant.

— Non, dit Poirot. Voilà deux personnes qui n'ont rien vu, rien entendu.

— Est-ce que nous allons enfin interroger l'Italien ? »

Poirot tarda à répondre. Il examinait une tache de graisse laissée sur un passeport diplomatique hongrois.

8

Le témoignage du colonel Arbuthnot

Poirot s'arracha à ses réflexions avec un sursaut. Ses yeux brillèrent en croisant le regard inquisiteur de M. Bouc.

« Ah ! Mon vieil ami, dit-il, je crois qu'avec l'âge, je suis devenu très snob. J'ai le sentiment que les passagers de première classe doivent être entendus avant ceux de seconde classe. Et c'est pourquoi, si vous n'y voyez pas d'inconvénient, nous allons maintenant interroger le beau colonel Arbuthnot. »

La connaissance que le colonel pouvait avoir de la langue française se révélant assez limitée, Poirot décida de mener l'entretien en anglais.

Pour la bonne règle, le nom, l'âge, l'adresse personnelle et la situation militaire du colonel furent établis avec précision. Puis Poirot en vint à l'interrogatoire proprement dit :

« Mon colonel, avez-vous quitté les Indes pour prendre un congé, ou, comme nous le disons dans ma langue, *une permission* ? »

Le colonel se moquait visiblement de savoir le nom qu'une bande d'étrangers donnait à quoi que ce fût, et se borna à répondre, avec un laconisme[1] tout britannique :

« Oui.

— Vous n'avez pas choisi de rentrer par un paquebot de la compagnie P & O ?

— Non.

— Pour quel motif ?

— J'ai choisi de rentrer par la route terrestre pour des raisons qui ne regardent que moi. »

L'expression du colonel semblait signifier : « Et pan dans les dents ! espèce de petit ouistiti qui se mêle de ce qui ne le regarde pas !... »

« Vous venez directement des Indes ?

— Non, répondit sèchement le colonel. Je me suis arrêté un jour et une nuit pour visiter les fouilles d'Ur, en Chaldée, et j'ai passé trois jours à Bagdad, chez le chef de notre détachement aérien, qui se trouve être de mes amis.

— Vous vous êtes arrêté trois jours à Bagdad. J'ai

1. Sans un mot de trop.

cru comprendre que la jeune demoiselle anglaise, miss Debenham, venait elle aussi de Bagdad. Est-ce là que vous avez fait sa connaissance ?

— Non. J'ai rencontré miss Debenham pour la première fois à bord du train entre Kirkouk et Nissibine. »

Poirot se pencha. Son ton se fit insinuant[1], presque obséquieux[2] :

« Je fais appel à votre sens du devoir, mon colonel. Miss Debenham et vous-même êtes les seuls Anglais présents dans ce train. Et il m'est nécessaire de connaître l'opinion que vous avez l'un de l'autre.

— C'est contre tous les usages, se hérissa[3] le colonel.

— Il ne faut pas voir les choses de cette façon. Voyez-vous, le crime a été plus que probablement commis par une femme. La victime n'a pas été frappée de moins de douze coups de poignard. Même le chef de train a conclu tout de suite : "C'est une femme qui a fait ça." Ma toute première tâche, vous le comprenez, est donc, si j'ose m'exprimer ainsi, de passer au crible chacune des passagères de la voiture Istamboul-Calais. Mais il est très difficile de bien juger une Anglaise. Vos compatriotes sont très réservées. C'est pourquoi, mon colonel, dans le bon intérêt de la jus-

1. Qui laisse entendre des choses qu'il ne dit pas.
2. Excessivement poli.
3. Se crispa.

tice, j'ose faire appel à vous. Quel genre de femme est donc miss Debenham ? Et que savez-vous d'elle ?

— Miss Debenham, répondit vigoureusement le colonel, est une vraie dame.

— Ah, bon ! dit Poirot qui offrait toutes les apparences du ravissement. Ainsi, vous ne pensez pas qu'elle puisse être mêlée à ce meurtre ?

— C'est une idée tout bonnement absurde ! reprit le colonel Arbuthnot. Cet homme lui était complètement étranger. Elle ne l'avait jamais vu avant de monter dans ce train !

— Elle vous l'a dit ?

— Oui. Elle l'a trouvé tout de suite extrêmement antipathique. Mais si une femme est bien l'auteur du crime, comme vous semblez le croire – et, à mon avis, sans le moindre commencement de preuve, seulement sur des suppositions –, je puis vous assurer que miss Debenham n'a vraiment rien à voir là-dedans.

— Je vous trouve bien passionné, mon colonel, fit remarquer Poirot en souriant.

— Je ne vois pas du tout ce que vous voulez dire », rétorqua l'officier en jetant sur le détective un regard glacial.

Sous le coup de cette rebuffade, Poirot parut perdre de sa pétulance[1]. Il baissa les yeux et se mit à fouiller dans les papiers posés devant lui.

« Tout cela n'était qu'entrée en matière, finit-il par

1. Ardeur, vivacité.

dire. Soyons rigoureux et venons-en aux faits. Nous avons des raisons de penser que le meurtre a été commis, la nuit dernière, à 1 heure et quart. La plus élémentaire des routines exige que je demande à chacun des voyageurs de ce wagon ce qu'il, ou elle, faisait à cette heure précise.

— C'est bon. À 1 heure et quart, pour autant qu'il m'en souvienne, j'étais en conversation avec ce jeune Américain... Le secrétaire de l'homme qui a été tué.

— Ah ?... Vous étiez dans son compartiment, ou dans le vôtre ?

— Dans le sien.

— Est-ce un de vos amis, ou une de vos connaissances ?

— Pas du tout. Je ne l'avais jamais autant vu. Mais hier, par hasard, nous avons été amenés à bavarder, et nous nous sommes tous deux pris au jeu. En règle générale, je n'aime pas trop les Américains... Je n'en ai vraiment rien à faire... »

Ce qui amena un sourire sur les lèvres de Poirot, qui se souvenait des sarcasmes[1] de MacQueen contre les « Britiches ».

« ... mais ce jeune homme me plaît bien. Il s'était mis dans la tête un joli lot de sornettes[2] sur la situation aux Indes. C'est cela le problème, avec les Américains. Ils sont indécrottablement sentimentaux et irréalistes. Bref, il a été vivement intéressé par ce que

1. Moqueries.
2. Idées fausses, sottises.

je lui racontais. Vous comprenez... Une expérience de près de trente ans de ce pays !... D'un autre côté, moi, j'ai été très intéressé par ce qu'il m'a dit de la crise financière aux États-Unis. Puis nous avons parlé de la situation mondiale en général. J'ai été franchement étonné quand j'ai regardé ma montre, et que je me suis aperçu qu'il était déjà 2 heures moins le quart.

— C'est à ce moment-là que vous avez interrompu votre conversation ?

— Oui.

— Qu'avez-vous fait alors ?

— Je suis retourné à mon compartiment, et extinction des feux.

— Votre lit avait déjà été fait ?

— Oui.

— Votre compartiment est... voyons, que je regarde... le numéro 15... l'avant-dernier en comptant à partir du wagon-restaurant ?

— Exact.

— Où se trouvait le conducteur quand vous êtes retourné dans votre compartiment ?

— Assis au bout du wagon, à une petite table. D'ailleurs, MacQueen l'a sonné pendant que je retournais chez moi.

— Savez-vous pourquoi il l'a appelé ?

— Pour faire son lit, j'imagine. Son compartiment n'avait pas encore été arrangé pour la nuit.

— Maintenant, mon colonel, je voudrais que vous réfléchissiez bien. Pendant tout le temps où vous avez discuté avec Mr MacQueen, quelqu'un est-il passé dans le couloir, devant la porte du compartiment où vous vous trouviez tous les deux ?

— Pas mal de gens, je dirais. Je n'y ai pas fait attention.

— Hum, hum... Je pensais plus particulièrement à la dernière heure et demie de votre conversation. Vous êtes descendus sur le quai à Vincovci, n'est-ce pas ?

— Oui, mais pour une minute à peine. Il soufflait un blizzard de tous les diables, et le froid vous coupait les os. Après ça, je dois dire qu'on est content de se retrouver bien au chaud. Et, pourtant, je trouve toujours que tous ces trains sont surchauffés de manière scandaleuse.

— Il est bien difficile de plaire à tous, soupira M. Bouc. Les Anglais passent leur temps à ouvrir les fenêtres, et les autres à les refermer. Ah ! la vie n'est pas facile. »

Pas plus le colonel Arbuthnot que Poirot n'accordèrent la moindre attention à ces jérémiades[1].

« Maintenant, mon colonel, concentrez-vous bien, reprit Poirot. Il fait très froid dehors. Vous remontez dans le train. Vous vous rasseyez dans le compartiment et vous vous mettez à fumer... Peut-être une cigarette, ou peut-être votre pipe...

— Ma pipe, en ce qui me concerne. MacQueen fumait ses cigarettes.

1. Plaintes.

— Le train repart, poursuivit Poirot. Vous fumez donc votre pipe. Vous discutez de la situation en Europe, dans le reste du monde. Il est déjà très tard. La plupart des passagers sont retournés dans leur compartiment. Quelqu'un est-il passé devant la porte ?... Réfléchissez bien !... »

Dans son effort pour rassembler ses souvenirs, le colonel Arbuthnot fronça les sourcils.

« C'est bien difficile, finit-il par avouer. Vous comprenez, je ne faisais pas attention à ce qui se passait dans le couloir.

— Certes, mais vous êtes militaire. Vous avez le sens de l'observation des détails. Vous voyez même ce que vous ne remarquez pas, si je puis m'exprimer ainsi. »

Le colonel réfléchit encore, puis secoua la tête.

« Vraiment, je ne vois pas. Je ne me souviens pas de qui que ce soit dans le couloir, à l'exception du conducteur. Mais... attendez une minute... il me semble bien qu'il y a eu une femme...

— L'avez-vous vue ? Elle était jeune ? Âgée ?

— Je ne l'ai pas vue. Je ne regardais pas de ce côté-là. Mais je me souviens du bruissement d'une étoffe et de l'odeur d'un parfum...

— Un parfum ? Un parfum agréable ?

— Eh bien, plutôt capiteux[1], si vous voyez ce que je veux dire. Le genre qu'on renifle à cent mètres à la ronde. Mais, attention, ça peut avoir été plus tôt dans la soirée. Comme vous le disiez tout à l'heure, ça fait partie de ces choses qu'on remarque sans y faire attention. À un moment donné de la soirée, j'ai dû me dire : "Une femme... Un parfum... Franchement trop fort pour moi..." Mais quand ça s'est passé, je n'en suis pas sûr, sauf que... Oui, c'est ça... C'était après l'arrêt à Vincovci.

— Pourquoi en êtes-vous si sûr ?

— Parce que je me souviens précisément d'avoir senti ce parfum pendant que nous parlions de tout le ramdam[2] fait autour du plan quinquennal de Staline[3]. Et je sais que le passage de cette femme m'a amené à

1. Un peu lourd.
2. Agitation.
3. En 1929, Staline, qui dirigeait alors l'Union soviétique, lança le premier plan quinquennal, c'est-à-dire l'orientation de la politique économique et industrielle pour les cinq années à venir.

parler de la place des femmes en U.R.S.S. Et je suis certain que le sujet de la Russie n'a été abordé qu'à la fin de notre conversation.

— Vous ne pouvez pas être plus précis que cela dans le temps ?

— Euh... non. Disons que c'était pendant la dernière demi-heure.

— Le train avait déjà été bloqué ?

— Oui, je suis quasiment sûr que c'était le cas.

— Très bien. Changeons de sujet. Êtes-vous déjà allé aux États-Unis, mon colonel ?

— Jamais. Ça ne m'a jamais intéressé.

— Connaissiez-vous un certain colonel Armstrong ?

— Armstrong ?... Armstrong ?... J'ai connu deux ou trois Armstrong. Il y avait Tommy Armstrong, du 60... Ce n'est pas de lui dont vous vouliez parler ?... Et puis il y avait aussi Selby Armstrong, qui a été tué sur la Somme...

— Non. Le colonel Armstrong dont je vous parle avait épousé une Américaine, et leur fille unique a été enlevée et assassinée.

— Ah... Effectivement, oui. Je me souviens d'avoir vu ça dans les journaux... Une affaire répugnante !... Je ne crois pas avoir jamais rencontré ce type, mais bien sûr, j'avais entendu parler de lui... Toby Armstrong... Un garçon formidable... Quelqu'un que tout le monde appréciait... Une carrière superbe... Et une Victoria Cross à la clef !...

— Eh bien, mon colonel, l'homme qui a été tué la nuit dernière était coupable du meurtre de la fille du colonel Armstrong. »

Le visage du colonel Arbuthnot se durcit.

« À mon avis, ce salaud n'a eu que ce qu'il méritait. Encore que, pour ce qui me concerne, j'aurais préféré qu'il soit pendu haut et court... Ou assis sur la chaise électrique, comme ils le font chez eux.

— Si je vous comprends bien, mon colonel, vous jugez la société de droit préférable à la vengeance privée ?

— Je ne crois pas qu'on puisse tolérer la vendetta. Nous ne sommes pas des Corses, ni des mafiosi, qui règlent leurs affaires personnelles à coups de couteau. On peut dire ce qu'on veut, rien de tel qu'un bon procès d'assises, avec un bon jury. »

Pensif, Poirot fixa le colonel pendant quelques instants.

« Oui, j'étais bien persuadé que ce serait votre point de vue, finit-il par dire. Eh bien, mon colonel, je ne vois plus d'autres questions à vous poser. Il n'y a vraiment rien, dans vos souvenirs de la nuit, qui vous ait paru anormal ? Ni qui vous paraisse anormal après coup, à la lumière de notre conversation ? »

Le colonel Arbuthnot réfléchit un bon moment...

« Rien, dit-il. Rien du tout. Toutefois... »

Il hésitait. Poirot le pressa :

« Continuez, je vous en prie.

— Ce n'est vraiment rien, reprit le colonel lentement. Mais vous m'avez demandé de parler de tout.

— Oui, oui, allez-y.

— Vraiment, ce n'est rien. Un infime détail. Simplement, quand je suis retourné à mon compartiment, j'ai remarqué que la porte de celui d'après le mien... Tout au bout du couloir, vous voyez...

— Oui. Le numéro 16.

— Eh bien... Cette porte n'était pas vraiment fermée. Et la personne qui était à l'intérieur a jeté un coup d'œil à toute vitesse. Puis la porte a été bouclée. Naturellement, ça ne signifie probablement rien. Mais j'ai quand même trouvé ça bizarre. Je veux dire que... qu'il n'y a rien d'anormal à sortir la tête et à regarder dehors si on veut savoir ce qui se passe. Mais ce type le faisait d'une façon tellement dissimulée que je n'ai pas pu ne pas le remarquer.

— Hum ! fit Poirot, dubitatif[1].

— Je vous ai dit que ce n'était réellement rien, s'excusa le colonel Arbuthnot. Mais vous comprenez... Au beau milieu de la nuit... En plein silence... L'atmosphère était sinistre, comme dans un roman noir... Pardonnez-moi ces sornettes. »

Le colonel se leva.

« Messieurs, si vous n'avez plus besoin de moi...

— Merci, mon colonel, ce sera tout. »

L'officier parut hésiter un instant. Le dédain qu'il

1. D'une manière qui montre qu'il croit peu à ce qu'on lui dit.

avait manifesté au premier abord pour les étrangers qui l'interrogeaient semblait l'avoir abandonné.

« À propos de miss Debenham, lâcha-t-il tout à trac, c'est quelqu'un de très bien, croyez-moi. Une *pukka sahib* ! »

Et, rougissant un tantinet[1], il quitta le wagon-restaurant.

« Qu'est-ce donc qu'une *pukka sahib* ? demanda, curieux, le Dr Constantine.

— Le colonel a voulu signifier dans son langage, répondit Poirot, que le père et les frères de miss Debenham ont fait leurs études dans le même genre de collège que le sien.

— Oh ! répliqua le médecin, déçu. Cela n'a vraiment rien à voir avec le crime.

— Rien du tout », dit Poirot.

Le détective avait plongé dans une sorte de songe. Ses doigts tambourinaient sur la table. Soudain, il releva la tête.

« Le colonel Arbuthnot fume la pipe, dit-il. J'ai trouvé un nettoie-pipe dans le compartiment de Mr Ratchett. Et Mr Ratchett ne fumait que le cigare...

— Vous ne pensez pas que...

— Jusqu'à présent, le colonel a été le seul à reconnaître qu'il est fumeur de pipe. Et il avait entendu parler du colonel Armstrong... Je serais prêt à mettre ma

1. Un peu.

main au feu qu'il le connaissait personnellement, même s'il a fait semblant du contraire.

— Alors, vous pensez qu'il est possible que...

— C'est bien là le problème : ce n'est pas possible. Pas possible du tout. On ne peut quand même pas imaginer un officier de Sa Majesté, pas très intelligent peut-être, mais un modèle de droiture, en train de frapper un ennemi, quel qu'il soit, de douze coups de poignard !... Enfin, mes chers amis, ne voyez-vous pas à quel point c'est inconcevable ?...

— Cela, ce n'est que de la psychologie, fit remarquer M. Bouc.

— C'est vrai, concéda Poirot, mais il faut tenir compte de la psychologie. Ce crime a été signé par son auteur, et la signature n'est certainement pas celle du colonel Arbuthnot. Passons au témoin suivant. »

Cette fois, M. Bouc s'abstint de demander la comparution immédiate de l'Italien. Mais il y pensait.

9

Le témoignage de Mr Hardman

Mr Hardman, le seul des passagers de première classe qui n'avait pas encore été interrogé, était le grand Américain, aussi voyant que tonitruant[1], qui partageait une table du wagon-restaurant avec l'Italien et le valet de chambre.

Il arborait un costume d'un mauvais goût très étudié, une chemise rose, une épingle de cravate tape-à-l'œil, et faisait rouler quelque chose sous sa langue. Taillés à la serpe[2], ses traits sanguins exprimaient une jovialité[3] permanente.

1. Très bruyant.
2. Très saillants, aiguisés.
3. Gaieté.

« Bonjour, messieurs, dit-il. Qu'est-ce qu'il peut bien y avoir pour votre service ?

— Je suis sûr que vous avez déjà entendu parler du meurtre, Mr... euh... Hardman ?

— Ouais. »

Avec dextérité[1] l'Américain fit passer son chewing-gum d'une bajoue à l'autre.

« Nous nous trouvons dans l'obligation d'interroger tous les voyageurs.

— Pour moi, y'a pas de problème. Faut bien qu'vous le fassiez, votre boulot. »

Poirot consulta son passeport.

« Vous êtes bien Cyrus Bethman Hardman, citoyen des États-Unis, quarante et un ans, représentant en rubans de machine à écrire ?

— C'est moi tout craché.

— Vous allez d'Istamboul à Paris ?

— Ouais.

— Motif de votre voyage ?

— Le bizness. Les affaires, quoi !

— Vous voyagez toujours en première classe, Mr Hardman ?

— Ouais. C'est la boîte qui paie, dit-il en clignant de l'œil.

— Maintenant, Mr Hardman, venons-en aux événements de la nuit dernière. »

Cette fois, l'Américain se contenta de hocher la tête.

---

1. Adresse.

« Que pouvez-vous nous dire sur ce sujet ?

— Exactement que dalle.

— Voilà qui est bien dommage. Mais peut-être, Mr Hardman, pourriez-vous nous préciser ce que vous avez fait à partir du dîner. »

Cette fois, l'Américain paraissait avoir épuisé sa réserve de réponses toutes faites. Il finit par lâcher :

« Excusez-moi, messieurs, mais vous êtes qui, au juste ? Mettez-moi au parfum[1].

— Voici M. Bouc, qui est l'un des directeurs de la Compagnie des wagons-lits. Et voilà le médecin qui a procédé à l'examen du cadavre.

— Et vous ?

— Mon nom est Hercule Poirot. La Compagnie m'a engagé pour mener l'enquête.

— Déjà entendu causer à votre sujet », répondit Hardman.

Puis il ajouta, après quelques secondes de réflexion :

« Vaut mieux que je déballe tout.

— Je vous conseillerais à coup sûr de nous révéler tout ce que vous savez, trancha sèchement Poirot.

— Vous ne faites que parler de ce que je pourrais savoir. Mais je sais rien, moi. Nib ! Je sais rien du tout. Je viens de vous le dire. Mais je devrais tout de même

1. Au courant (familier).

bien savoir quelque chose. C'est ça qui me met en boule : je devrais.

— Expliquez-vous, Mr Hardman. »

L'Américain soupira, escamota son chewing-gum et plongea la main dans son veston. D'un seul coup, sa personnalité se transforma. Il n'avait plus l'air d'un mauvais acteur jouant un mauvais rôle, mais d'un homme tout à fait naturel. Jusqu'à sa voix, dont les tonalités nasales s'atténuèrent :

« Mon passeport indique ma couverture. Mais voilà qui je suis en réalité. »

Poirot se pencha sur la carte qu'il lui tendait. M. Bouc se pencha à son tour sur son épaule pour la voir lui aussi :

CYRUS B. HARDMAN
Agence de police privée McNeil
NEW YORK

Poirot connaissait de réputation McNeil, qui passait pour l'une des meilleures compagnies de détectives privés de New York.

« Bien, Mr Hardman, reprit Poirot. Expliquez-moi la signification de tout cela.

— Bien sûr. Voilà comment ça s'est passé. Je me trouvais en Europe, pour filer le train à un couple d'escrocs qui n'ont rien à voir avec cette affaire. Ça s'est terminé à Istamboul. J'ai télégraphié à mon patron, et j'ai reçu mes instructions pour le voyage de retour. Et je serais déjà sur le bateau pour New York si on ne m'avait pas remis ce poulet[1]. »

Il tendit à Poirot une lettre à l'en-tête de l'hôtel Tokatlia :

Monsieur,

Vous m'avez été signalé comme l'un des agents opérationnels de l'Agence de police privée McNeil. Ayez l'obligeance de venir me voir dans ma suite, cet après-midi à 16 heures.

S. E. RATCHETT

« Eh bien ? interrogea Poirot.

— Je me suis pointé recta[2] à 16 heures, et Mr Ratchett m'a mis au courant. Il m'a montré plusieurs lettres de menace qu'il avait reçues.

— Il vous a semblé inquiet ?

— Il faisait semblant d'être tranquille comme Baptiste, mais il avait vraiment les jetons. Il m'a fait une proposition. Faudrait que je voyage jusqu'à Paris dans le même train que lui, et que je le protège. Ouais... J'ai voyagé dans le même train que lui, et malgré ma présence, il s'est fait avoir. Ça alors, vraiment, ça me met en boule. Et, en plus, ça fait moche dans mon dossier.

— Ratchett vous avait-il donné des indications sur la manière dont vous deviez assurer sa protection ?

— Tout à fait. Il avait tout prévu. Pour commen-

1. Billet, petit mot.
2. Exactement.

cer, je devais voyager dans le compartiment à côté du sien. Et ça, ça a foiré illico. Le seul compartiment que j'ai réussi à avoir, c'était le numéro 16, et encore, il a fallu que je me remue. À mon avis, le conducteur aime bien se garder ce compartiment sous le coude. Mais c'était ça ou rien. Bah ! finalement, quand j'ai bien regardé la situation, j'ai pensé que le 16 était une bonne position stratégique. Comme il n'y avait que le wagon-restaurant devant nous, la porte de notre voiture était fermée pendant la nuit. Un tueur ne pouvait entrer que par l'arrière de la voiture : soit par la portière donnant sur le quai, soit par la porte menant aux autres wagons-lits. Et, dans les deux cas, il faudrait bien qu'il passe devant mon compartiment.

— Vous n'avez pas la moindre idée, j'imagine, de l'identité de l'homme que redoutait Ratchett ?

— C'est-à-dire que Ratchett m'avait donné une espèce de signalement.

— Lequel ? »

Les trois hommes se firent plus attentifs encore. Hardman poursuivit :

« Il m'a parlé d'un homme de petite taille, brun, avec une voix haut perchée comme celle d'une femme. En tout cas, c'est comme ça que le vieux me l'a décrit. Il m'a dit aussi qu'il pensait qu'il avait rien à craindre pendant la première nuit du trajet. Il s'inquiétait de la deuxième ou de la troisième.

— Il savait beaucoup de choses, fit remarquer M. Bouc.

— En tout cas, il en savait davantage que ce qu'il avait bien voulu confier à son secrétaire, réfléchit Poirot. Il vous a dit quelque chose de plus précis à propos de ses ennemis ? Vous a-t-il expliqué par exemple pourquoi sa vie était menacée ?

— Non. Là-dessus, il était fermé comme une huître. Il m'a juste répété que ce type voulait sa peau, et que c'était pas une plaisanterie.

— Un homme de petite taille... Brun... Avec une voix haut perchée comme celle d'une femme... », murmura Poirot, pensif.

Puis il lança à l'Américain un regard acéré.

« Naturellement, vous saviez qui c'était ?

— Qui ça, monsieur ?

— Ratchett. Vous l'aviez sûrement reconnu ?

— Là, je ne vous suis pas.

— Ratchett et Cassetti, l'assassin de la petite Armstrong, ne faisaient qu'une seule et même personne. »

Hardman émit un long sifflement :

« Eh bien, ça, pour une surprise !... Vraiment, monsieur !... Non, je ne l'avais pas reconnu. J'étais sur la côte Ouest au moment de cette affaire. Je pense bien que j'ai dû voir des tas de photos de lui dans les journaux, mais je ne reconnaîtrais pas le portrait de ma propre mère s'il était fait par un photographe de presse. Cela dit, je ne doute pas qu'il y avait un tas de gens qui voulaient la peau de Cassetti.

— Voyez-vous qui que ce soit qui ait été mêlé à

l'affaire Armstrong qui puisse répondre au signalement : petit, brun, voix haut perchée ?...

— Difficile à dire, finit par répondre Hardman. Je crois que quasiment tous ceux qui étaient dans le coup sont morts.

— Vous vous souvenez de cette jeune fille qui s'est jetée par la fenêtre ?

— Oui. C'est une idée, ça. C'était une étrangère, je crois. Elle avait peut-être des relations haut placées. Mais il faut quand même vous rappeler qu'il y avait eu d'autres affaires avant l'affaire Armstrong. Il y avait un bon moment que Cassetti avait monté son petit commerce d'enlèvements. On ne peut pas remonter uniquement à l'affaire Armstrong.

— Si. Nous avons de très bonnes raisons de penser que l'assassinat de Cassetti est directement lié à l'affaire Armstrong. »

Hardman lança à Poirot un regard incrédule. Poirot ne répondit pas. L'Américain secoua la tête.

« Je ne peux vraiment pas me souvenir de qui que ce soit de mêlé à l'affaire Armstrong qui réponde au signalement, finit-il par articuler lentement. Mais c'est vrai que j'étais loin, à ce moment-là, et que je connais pas grand-chose du dossier.

— Bon, eh bien, Mr Hardman, poursuivez votre récit.

— Il n'y a pas beaucoup à raconter. Je dormais pendant la journée, comme ça j'étais réveillé la nuit pour monter la garde. La première nuit, je n'ai rien relevé de suspect. Et c'était pareil la nuit dernière, pour ce qui me concerne. J'avais laissé ma porte entrouverte et je surveillais. Et je n'ai vu passer aucun inconnu.

— Vous en êtes bien sûr, Mr Hardman ?

— Positivement certain. Personne n'est monté dans le wagon, et personne n'y est entré par le soufflet. Je pourrais en déposer sous serment.

— De là où vous étiez, vous pouviez voir le conducteur ?

— Oui. Il est toujours assis à sa petite table, qui touche quasiment ma porte.

— Est-ce qu'il a quitté son siège après notre départ de Vincovci ?

— C'était la dernière gare ? Eh bien, oui. Il a répondu à plusieurs appels. C'était juste après que le train s'est arrêté définitivement. Après ça, je l'ai vu aller dans l'autre wagon. Je dirais qu'il y est resté un quart d'heure. Après ça, il y a quelqu'un qui s'est mis à sonner comme un malade, et je l'ai vu revenir en courant. Je suis sorti dans le couloir pour voir ce qui se passait – j'étais quand même un peu nerveux, vous comprenez –, mais c'était seulement la dame américaine. Elle poussait des cris d'orfraie à propos de je ne sais pas quoi. Et puis il est allé à un autre compartiment, puis il est revenu, et il a pris une bouteille d'eau minérale pour quelqu'un. Après ça, il est resté à sa place, jusqu'à ce qu'il aille au bout du wagon pour faire un lit. Je ne crois pas qu'il ait bougé ensuite jusqu'à 5 heures du matin.

— Est-ce qu'il a dormi ?

— Je ne pourrais pas vous dire. Peut-être. »

Poirot approuva de la tête. Comme par réflexe, ses mains mirent en pile les papiers qui étaient devant lui. Il regarda encore une fois la carte de Hardman.

« Voulez-vous parapher ce papier, s'il vous plaît ? »

Hardman mit ses initiales.

« J'imagine que personne ne peut confirmer votre identité, Mr Hardman ?

— Dans ce train ? Ça m'étonnerait. Sauf peut-être le jeune MacQueen. Je le connais un petit peu. Je l'ai vu plusieurs fois dans le bureau de son père, à New York. Mais ça ne veut pas dire qu'il m'ait remarqué dans une foule d'autres gens. Non, monsieur Poirot, il va falloir attendre que la neige fonde et que vous puissiez télégraphier à New York. Mais vous pouvez me croire. Je ne vous raconte pas d'histoires. Eh bien, au revoir, messieurs. Heureux d'avoir fait votre connaissance, monsieur Poirot. »

Poirot lui tendit son étui à cigarettes.

« À moins que vous ne préfériez la pipe ?...

— Non, pas du tout. »

Hardman accepta la cigarette offerte, et sortit vivement.

Les trois hommes se regardèrent.

« Vous croyez qu'il est vraiment détective privé ? demanda le Dr Constantine.

— Oui, oui. Je connais ce genre de bonhomme. Son histoire est d'ailleurs facilement vérifiable.

— Il nous a fourni un indice très intéressant, affirma M. Bouc.

— Oui, tout à fait.

— Un homme de petite taille, brun, avec une voix haut perchée..., reprit M. Bouc, songeur.

— Mais personne dans le train ne répond à ce signalement », lui fit remarquer Poirot.

10

Le témoignage de l'Italien

« Et maintenant, dit Poirot en clignant de l'œil, nous allons satisfaire le plus cher désir de notre ami M. Bouc et interroger l'Italien. »

Antonio Foscarelli pénétra dans le wagon-restaurant d'une démarche souple et féline[1]. Son visage rayonnait. Ses traits étaient typiquement italiens, il avait l'air d'un pruneau bronzé.

Il parlait un français plein d'aisance, à peine marqué d'une pointe d'accent.

« Vous vous appelez Antonio Foscarelli ?

— Oui, monsieur.

1. Comme celle d'un chat.

— Je vois que vous vous êtes fait naturaliser américain.

— Oui, monsieur, répondit Foscarelli avec un sourire épanoui. C'est mieux pour mes affaires.

— Vous êtes agent des automobiles Ford ?

— Oui, vous comprenez... »

Un discours volubile s'ensuivit. Quand il fut achevé, ce que les trois hommes auraient pu encore ignorer des méthodes de travail de Foscarelli, de ses voyages, de ce qu'il gagnait, et de ses opinions sur les États-Unis et la plupart des pays européens avoisinait le néant. Avec un homme comme lui, il n'y avait aucun effort à faire pour obtenir des renseignements. Ils jaillissaient comme d'une fontaine.

Son visage souriant, un peu puéril, éclatait de contentement de soi quand, sur un dernier geste plein d'éloquence, il marqua une pause pour s'essuyer le front avec son mouchoir.

« Ainsi, vous le voyez, je brasse de grosses affaires. Je suis vraiment à la page[1]. Moi, la vente, ça me connaît !

— Ainsi, il y a dix ans que vous êtes aux États-Unis et que vous faites des déplacements ?

— Oui, monsieur. Ah ! comment je pourrais oublier le jour où j'ai pris le bateau la première fois pour l'Amérique ? Pour partir si loin ? Ma mère, ma jeune sœur... »

1. Au courant de la dernière mode, de la dernière actualité.

Poirot coupa le flot des souvenirs :

« Depuis votre arrivée aux États-Unis, aviez-vous jamais rencontré l'homme qui a été tué ?

— Jamais. Mais je connais bien ce genre de bonhomme. Ah, ça, oui ! fit Foscarelli, en claquant des doigts de manière expressive. Très respectable, bien habillé, mais il vaut mieux ne pas regarder ce qu'il y a derrière la façade. Je peux vous dire que c'était un faisan de la plus belle eau[1]. Enfin, je vous donne mon avis pour ce qu'il vaut.

— Votre avis est tout ce qu'il y a de juste, concéda

1. De la meilleure espèce.

Poirot, sèchement. En réalité, Ratchett était Cassetti, le gangster spécialiste des enlèvements.

— Tiens ! Qu'est-ce que je vous disais !... J'ai appris à me méfier. À lire les visages. C'est indispensable. Il n'y a qu'en Amérique qu'on peut bien apprendre la vente.

— Vous vous souvenez de l'affaire Armstrong ?

— Je ne me rappelle pas très bien. Le nom, peut-être... À propos d'un bébé... D'ure petite fille... C'était ça ?

— Oui. Une véritable tragédie. »

L'Italien parut être le premier à ne pas partager ce point de vue.

« Oui... Eh bien, ce sont des choses qui arrivent, fit-il remarquer avec philosophie. Dans un grand pays comme les États-Unis...

— Avez-vous déjà rencontré un des membres de la famille Armstrong ? coupa Poirot.

— Non. Je ne crois pas. C'est difficile à dire. Il faut que je vous donne quelques chiffres. Rien que l'année dernière, j'ai vendu...

— Je vous prierais, monsieur, de ne pas vous écarter de notre sujet. »

L'Italien leva les bras au ciel en signe d'excuse.

« Je vous demande bien pardon.

— Dites-moi, s'il vous plaît, tout ce que vous avez fait hier soir après le dîner.

— Avec plaisir. Je suis resté au wagon-restaurant aussi longtemps que j'ai pu. Je trouve ça très amusant.

J'ai discuté avec ce type américain qui était à ma table. Il vend des rubans de machine à écrire. Après ça, il a bien fallu que je retourne dans mon compartiment. Il était vide. Le sacré Rosbif qui le partage avec moi s'occupait de son patron. Il a fini par revenir, avec une tête de six pieds de long, comme d'habitude. C'est un type qui ne dit pas un mot, juste oui ou non. Une sale race, les Anglais... Vraiment pas sympathiques. Il s'est assis dans un coin, raide comme la Justice, pour lire un bouquin. Et puis le conducteur est arrivé et il a fait les lits.

— Les numéros 4 et 5, souffla Poirot.

— C'est ça. Le compartiment du bout. Moi, j'ai le lit d'en haut. J'y suis monté, et puis j'ai fumé et j'ai lu. Je crois que le petit Britiche avait mal aux dents. Il a sorti une fiole[1] de quelque chose qui sentait très fort. Il s'est couché en gémissant. Et puis je me suis endormi. Mais chaque fois que je me suis réveillé, je l'entendais gémir.

— Savez-vous s'il a quitté votre compartiment pendant la nuit ?

— Je ne pense pas. Je l'aurais entendu. Et puis il y a la lumière dans le couloir... On se réveille à tous les coups, parce qu'on croit que ce sont les douaniers qui débarquent à une frontière.

— Est-ce que votre Anglais vous a parlé de son

1. Petit flacon.

patron ? Est-ce qu'il a exprimé du ressentiment contre lui ?

— Je vous l'ai déjà dit. Il ne me parle pas. Antipathique. Chaleureux comme un poisson froid.

— Vous fumez, m'avez-vous dit. La pipe ? La cigarette ? Le cigare ?

— La cigarette, seulement. »

Poirot lui tendit son étui, et il en prit une.

« Êtes-vous déjà allé à Chicago ? interrogea M. Bouc.

— Oh, oui. Une belle ville. Mais je connais mieux New York, ou Washington, ou Detroit. Vous êtes déjà allé aux États-Unis ? Non ? Vous devriez... »

Poirot poussa devant lui une feuille de papier.

« Voulez-vous signer cela, et indiquer votre adresse personnelle, je vous prie ? »

L'écriture de l'Italien brillait par ses volutes[1]. Il se leva, un sourire toujours aussi charmeur aux lèvres.

« Ce sera tout ? Vous n'avez plus besoin de moi ? Je vous souhaite une bonne journée, messieurs. Je voudrais bien que nous nous sortions de toute cette neige. J'ai un rendez-vous à Milan. Je risque de la perdre, cette affaire. »

Il secoua la tête avec tristesse et quitta le wagon-restaurant.

Poirot fixait M. Bouc.

« Il y a longtemps qu'il est aux États-Unis, fit remar-

---

1. Ses boucles et ses déliés.

quer ce dernier. Il est italien, et vous savez bien que les Italiens se servent du poignard ! Et en plus ils mentent comme des arracheurs de dents ! Je n'aime pas les Italiens.

— Ça se voit, sourit Poirot. Vous avez peut-être raison, mais je dois quand même souligner, mon cher ami, que nous n'avons absolument rien contre cet homme.

— Et la psychologie, alors ? Les Italiens aiment bien jouer du couteau, non ?

— Tout à fait, dit Poirot. Particulièrement dans la chaleur de l'action... Mais notre crime est d'un genre tout différent. Je commence à penser, mon cher, que nous avons affaire à un meurtre prémédité et machiné de longue main. Tout a été préparé avec le plus grand soin, et on a tout prévu. Cela n'a rien à voir avec ce que j'oserais appeler, si vous me le permettez, *un crime de Latin.* Le crime dont nous nous occupons porte la signature d'un cerveau froid, imaginatif, résolu... Je pense plutôt à un cerveau anglo-saxon. »

Il prit les deux derniers passeports.

« Au tour, dit-il, de miss Mary Debenham. »

gaiter ce dernier. Il est allé [illegible]
les Italiens [illegible] plus ils
pouvaient [illegible] dans [illegible]
par [illegible]

— [illegible]

[illegible]

— [illegible]
[illegible]

— [illegible]

[illegible]

11

Le témoignage de miss Debenham

En voyant Mary Debenham entrer dans le wagon-restaurant, Poirot fut convaincu qu'il ne se trompait pas à son sujet.

Elle portait un petit tailleur noir, très sobre, sur un chemisier gris clair. Pas une mèche ne dépassait des sages ondulations de ses cheveux. Et son comportement se montrait aussi calme et aussi net que sa coiffure.

Elle prit place en face de Poirot et de M. Bouc et leur jeta un regard intrigué.

« Vous vous appelez bien Mary Hermione Debenham, et vous avez bien vingt-six ans ? commença Poirot.

— Oui.
— Sujet britannique ?
— Oui.
— Voulez-vous être assez aimable, mademoiselle, pour noter ici votre adresse personnelle. »

Elle s'exécuta, d'une écriture précise et parfaitement lisible.

« Et maintenant, mademoiselle, voulez-vous nous parler des événements de cette nuit ?

— Je crains de n'avoir rien à vous dire. Je me suis couchée, et j'ai dormi.

— Vous sentez-vous perturbée, mademoiselle, de savoir qu'un crime a été commis à bord de ce train ? »

La question de Poirot la prit visiblement au dépourvu. Ses yeux gris s'élargirent un peu.

« Je ne comprends pas très bien le sens de votre question, dit-elle.

— La question que je vous ai posée, mademoiselle, était d'une simplicité évangélique[1]. Mais je vais la reprendre. Vous sentez-vous très perturbée de savoir qu'un crime a été commis à bord de ce train ?

— J'avoue que je n'ai pas envisagé les événements sous cet angle. Mais non. Je ne peux pas prétendre que je m'en sente très perturbée.

— Pourtant, un crime... Ça n'arrive quand même pas tous les jours ?

1. Comme la parole des Évangiles – qui disent des choses profondes tout en employant un langage très simple.

— C'est effectivement très désagréable, répondit Mary Debenham sans ciller.

— Vous êtes très anglo-saxonne, mademoiselle. *Vous semblez incapable d'émotions.*

— Je ne me crois pas obligée de piquer une crise d'hystérie pour prouver ma sensibilité, sourit-elle. Après tout, il y a tous les jours des gens qui meurent.

— Des gens qui meurent, oui !... Mais les meurtres sont heureusement un peu plus rares.

— C'est certain.

— Connaissiez-vous l'homme qui a été tué ?

— Je l'ai vu pour la première fois hier, à l'heure du déjeuner.

— Il vous a frappée d'une façon ou d'une autre ?

— Je l'ai à peine remarqué.

— Vous n'avez pas trouvé qu'il avait une personnalité inquiétante ?

— Je ne peux vraiment pas dire que j'ai pensé à cela », dit-elle en haussant les épaules.

Poirot la regarda droit dans les yeux.

« Je pense, dit-il, l'œil brillant, que vous ressentez un certain mépris pour la manière dont je mène mon enquête. Vous estimez, j'en suis sûr, qu'un Anglais ferait les choses autrement. Tout serait clair et net... On s'en tiendrait aux faits, et rien qu'aux faits... En ordre et suivant la procédure[1]. Mais moi, voyez-vous, mademoiselle, je tiens à mes petits dadas[2]. Je com-

---

1. Les démarches nécessaires.
2. Petites habitudes personnelles.

mence par regarder le témoin que j'ai devant moi, je me fais une idée de sa personnalité, et je formule mes questions en tenant compte de cela. Il y a quelques minutes, j'interrogeais un monsieur qui n'avait pas d'autre envie que de me donner son avis sur tout et sur le reste. Eh bien, je l'ai obligé à s'en tenir strictement à ce dont il s'agissait. J'ai exigé qu'il me réponde par oui ou par non, sans aucune digression[1]. Et maintenant, c'est à votre tour. J'ai vu tout de suite que vous seriez méthodique et posée[2]. Vous vous limiterez à ce qui est en cause. Vos réponses seront brèves et nettes. Mais, mademoiselle, peut-être parce que la perversion[3] est dans la nature des êtres humains, je vous pose des questions d'un genre tout à fait différent. Je vous demande ce que vous *ressentez,* ce que vous *pensez.* Cette méthode vous déplaît ?

— Pardonnez-moi de vous le dire, mais tout cela me paraît une perte de temps. Je ne vois pas en quoi le fait de savoir si j'ai trouvé ou non Mr Ratchett sympathique peut contribuer à découvrir qui l'a tué.

— Savez-vous qui ce Ratchett était en réalité ?

— Oui. Mrs Hubbard en a parlé à tout le monde, dit-elle en acquiesçant de la tête.

— Et que pensez-vous de l'affaire Armstrong ?

— C'était parfaitement abominable », trancha-t-elle.

1. Sans parler d'autre chose.
2. Qui ne se laisse pas aller à l'énervement.
3. Le mal.

Songeur, Poirot la fixa un moment.

« Vous voyagez depuis Bagdad, je crois, miss Debenham ?

— Oui.

— Vous allez à Londres ?

— Oui.

— Que faisiez-vous à Bagdad ?

— J'avais été engagée pour m'occuper de deux enfants.

— Reprendrez-vous vos fonctions à l'issue de votre congé ?

— Je n'en suis pas sûre.

— Pourquoi cela ?

— Bagdad est un trou perdu. Je préférerais un poste à Londres, si je peux en trouver un qui me convienne.

— Je vois. En fait, je pensais que, peut-être, vous rentriez en Angleterre pour vous marier. »

Miss Debenham s'abstint de répondre. Elle leva les yeux et son regard ne lâcha pas celui de Poirot. Elle paraissait vouloir dire : « Vous êtes un grossier personnage. » Poirot ne se laissa pas démonter[1].

« Que pensez-vous, demanda-t-il, de la personne qui partage votre compartiment ? Miss Ohlsson ?

— C'est une créature toute simple, gentille.

— De quelle couleur est sa robe de chambre ?

---

1. Ne se troubla pas.

— Une sorte de beige ou de marron... La couleur de la laine brute, répondit-elle, l'air exaspéré.

— Bien !... J'espère que vous ne me taxerez pas de goujaterie[1] si je vous dis qu'en ce qui vous concerne, j'avais déjà noté la couleur de la vôtre pendant notre voyage entre Alep et Istamboul. Mauve pâle, si je ne me trompe ?

— Oui, c'est cela.

— Possédez-vous une autre robe de chambre, mademoiselle ? Une robe de chambre écarlate, par exemple ?

— Non. Ça, ce n'est pas la mienne. »

Poirot se pencha en avant, comme un chat qui s'apprête à sauter sur une souris.

« À qui est-ce, alors ? »

Elle se redressa, étonnée.

« Je ne sais pas. Que voulez-vous dire ?

— Vous ne m'avez pas répondu : "Non, je n'ai pas de robe de chambre comme ça." Vous avez déclaré : "Non. Ça, ce n'est pas la mienne." Ce qui signifie donc que la robe de chambre écarlate dont je vous parlais appartient à quelqu'un d'autre. »

Elle hocha la tête en signe d'acquiescement.

« Quelqu'un d'autre qui est à bord du train ?

— Oui.

— De qui s'agit-il ?

— Je viens de vous le dire. Je ne sais pas. Cette nuit,

1. Grossièreté.

vers 5 heures du matin, je me suis réveillée avec le sentiment qu'il y avait un long moment que le train ne bougeait plus. J'ai ouvert la porte et j'ai regardé dans le couloir. Je pensais que nous étions arrêtés dans une gare. Et, un peu plus loin, dans le couloir, j'ai vu quelqu'un qui portait un kimono écarlate.

— Et vous ne savez pas de qui il s'agissait ? Avait-elle les cheveux châtains, ou gris ?

— Je ne pourrais pas vous le dire. Elle portait un filet de nuit, et je n'ai vu que sa nuque.

— Sa taille ?

— Grande et mince, à mon avis, mais c'est difficile à dire. Il y avait des dragons brodés sur le kimono.

— Eh oui, c'est bien cela. Des dragons. »

Poirot garda le silence pendant un moment. Puis il finit par murmurer, s'adressant à lui-même :

« Je ne comprends pas... Je ne comprends pas... Tout cela n'a aucun sens. »

Puis il se redressa et dit à haute voix :

« Je ne vous retiendrai pas davantage, mademoiselle.

— Oh ! »

Elle semblait surprise, mais se leva promptement. Arrivée à la porte, elle hésita une seconde, puis revint.

« Cette dame suédoise – miss Ohlsson, je crois ? – est vraiment très inquiète. Elle dit que, d'après vous, elle est la dernière à avoir vu cet homme en vie. Elle redoute, je pense, que vous ne la suspectiez à cause de cela. Puis-je lui dire qu'elle se trompe ? Vous savez, c'est vraiment le genre de femme qui ne ferait pas de mal à une mouche. »

Miss Debenham esquissait un sourire timide.

« À quelle heure est-elle allée chercher de l'aspirine dans le compartiment de Mrs Hubbard ? demanda Poirot.

— Juste après 10 heures et demie.

— Elle s'est absentée longtemps ?

— Cinq minutes environ.

— Pendant la nuit, a-t-elle quitté votre compartiment ?

— Non. »

Poirot se tourna vers le Dr Constantine.

« À votre avis, il peut avoir été tué aussi tôt que cela ? »

De la tête, le médecin indiqua que non.

« Alors, mademoiselle, vous pouvez rassurer votre compagne.

— Je vous remercie, dit miss Debenham, en adressant à Poirot un large sourire qui ne pouvait qu'attirer la sympathie. C'est un agneau, vous comprenez. Elle s'inquiète. Elle s'inquiète et elle bêle. »

Sur ce, elle tourna les talons et les quitta.

12

Le témoignage de la femme de chambre allemande

Intrigué, M. Bouc ne lâchait pas son ami des yeux.

« Je ne vous comprends pas bien, très cher. Vous étiez en train d'essayer de faire... Quoi au juste ?

— Je recherchais le défaut, mon bon ami.

— Le défaut ?

— Oui, le défaut dans l'imperturbable maîtrise de soi qui est comme l'armure de cette jeune personne. Je voulais ébranler son self-control[1]. Y ai-je réussi ? Je ne sais pas. Mais ce dont je suis sûr, c'est qu'elle ne s'attendait certes pas à me voir prendre le problème par ce bout-là.

— Ainsi, vous la soupçonnez, souffla M. Bouc.

---

1. Le contrôle, la maîtrise qu'elle a d'elle-même.

Mais pourquoi ? Elle donne toutes les apparences d'une jeune femme charmante. C'est la dernière personne que j'imaginerais mêlée à un crime de ce genre.

— Je suis d'accord avec vous, ajouta le Dr Constantine. Elle est très froide, pas émotive le moins du monde. Une femme comme elle ne poignarde pas un homme. Elle le poursuit devant les tribunaux. »

Poirot soupira :

« Il serait quand même temps que vous renonciez tous les deux à votre manie de croire que nous avons affaire à un crime commis soudain, sans préméditation. Pour ce qui concerne miss Debenham, j'ai deux motifs pour la soupçonner. Le premier tient à une conversation que j'ai entendue par hasard et dont je ne vous ai pas encore parlé. »

Il fit aux deux hommes un bref compte rendu de l'étonnant dialogue qu'il avait surpris lors de son voyage depuis Alep.

« C'est en effet très bizarre, concéda M. Bouc. Et il nous faut une explication. Mais si votre interprétation est la bonne, cela signifie qu'ils sont impliqués ensemble... Elle et cet Anglais farouche.

— Et pourtant, les faits démontrent précisément le contraire, dit Poirot en hochant la tête. Réfléchissez. S'ils étaient impliqués ensemble, la logique voudrait qu'ils se fournissent l'un à l'autre un alibi, n'est-ce pas ? Eh bien, non. Ce n'est pas le cas. C'est une Suédoise quelconque qu'elle n'avait jamais vue de sa vie qui fournit un alibi à miss Debenham. Quant aux déclarations du colonel Arbuthnot, elles sont corroborées [1] par MacQueen, le propre secrétaire de l'homme qui a été tué. Non, vraiment, cette solution ne tient pas.

— Vous nous aviez annoncé un second motif de la soupçonner, rappela M. Bouc.

— Oui, c'est vrai, sourit Poirot. Mais il s'agit seulement de psychologie. Je me suis demandé si miss Debenham était capable de préméditer ce crime. Derrière tout cela, j'en suis persuadé, il y a un cerveau froid, intelligent, plein de sens pratique. Et miss Debenham répond à cette description.

— Vous avez tort, mon cher ami, reprit M. Bouc. Je ne peux pas imaginer cette jeune Anglaise en criminelle.

— Bah ! nous verrons bien, conclut Poirot en prenant en main le dernier passeport. Venons-en à la fin de notre liste, c'est-à-dire à Hildegarde Schmidt, la femme de chambre de la princesse. »

Un des serveurs partit la chercher. Elle entra dans le wagon-restaurant et attendit debout, dans une attitude pleine de respect. Quand Poirot lui fit signe de s'asseoir, elle croisa ses mains sur ses genoux, placidement, dans l'attente des questions. À première vue, d'ailleurs, on pouvait voir en elle un être placide[2], extrêmement convenable, mais d'une intelligence sans doute assez limitée.

---

1. Confirmées.
2. Calme.

Avec Hildegarde Schmidt, Hercule Poirot eut recours à une méthode qui était l'antithèse[1] parfaite de celle qu'il avait utilisée avec Mary Debenham. Il fut l'amabilité même, la cordialité faite homme. Il lui fit noter par écrit son identité et son adresse, puis passa habilement à l'interrogatoire proprement dit, qu'il mena en allemand.

« Nous avons besoin de savoir le plus de choses possible sur ce qui s'est passé cette nuit, expliqua-t-il. Nous savons que vous ne pouvez pas nous éclairer beaucoup sur le crime lui-même. Mais vous pouvez avoir vu, ou entendu, quelque chose qui vous paraît sans importance, mais qui peut être très précieux pour nous. Vous comprenez ? »

Elle ne paraissait pas comprendre. Son large visage aux traits doux restait figé dans une expression de paisible stupidité.

« Je ne sais rien du tout, monsieur, dit-elle.

— Par exemple, vous savez bien que votre maîtresse vous a envoyé chercher pendant la nuit.

— Ça, oui, monsieur.

— Vous rappelez-vous à quelle heure ?

— Non, monsieur. J'étais déjà endormie quand l'employé est venu et m'a dit que madame la princesse avait besoin de moi.

— Je vois, je vois. Est-ce habituel de sa part de vous faire appeler comme cela ?

1. Le contraire.

— Cela n'avait rien d'étonnant, monsieur. Madame la princesse a souvent besoin qu'on s'occupe d'elle la nuit. Elle ne dort pas très bien.

— Bon. Vous avez donc été appelée et vous vous êtes levée. Avez-vous passé une robe de chambre ?

— Non, monsieur. J'ai remis mes vêtements. Je n'oserais pas me présenter devant madame la princesse en robe de chambre.

— Votre robe de chambre est pourtant très belle... Écarlate, n'est-ce pas ? »

Elle le regarda, un peu inquiète.

« Mais non, monsieur. J'ai une robe de chambre en flanelle bleu foncé.

— Ah bon. Poursuivons. Ce n'était qu'une innocente plaisanterie de ma part. Donc, vous vous êtes rendue auprès de la princesse. Qu'avez-vous fait ?

— Je lui ai fait un massage, monsieur, et puis j'ai lu à haute voix. Je ne suis pas une très bonne lectrice, mais Son Altesse dit que c'est mieux comme ça. Ça l'endort plus vite. Quand elle a commencé à s'endormir, monsieur, elle m'a dit de repartir. Alors, j'ai refermé le livre, et je suis retournée à mon compartiment.

— Savez-vous quelle heure il pouvait bien être ?

— Non, monsieur.

— Bien... Combien de temps êtes-vous restée chez la princesse ?

— Une demi-heure, à peu près, monsieur.

— Très bien. Continuez.

— Dans mon compartiment, j'ai pris une couverture supplémentaire pour la princesse, parce qu'il faisait très froid malgré le chauffage. Je l'ai arrangée sur son lit, et elle m'a dit bonsoir. Je lui ai versé un peu d'eau minérale. Et puis j'ai éteint la lumière et je suis partie.

— Et alors ?

— Alors, c'est tout, monsieur. Je suis encore une fois retournée à mon compartiment, et je me suis rendormie.

— Et vous n'avez croisé personne dans le couloir ?

— Non, monsieur.

— Par exemple, vous n'avez pas vu une dame en kimono écarlate avec des dragons brodés ?

— Certainement pas, monsieur. Il n'y avait personne, sauf l'employé.

— Le conducteur, lui, vous l'avez vu ?

— Oui, monsieur.

— Que faisait-il ?

— Il sortait d'un des compartiments, monsieur.

— Quoi ?... s'écria M. Bouc. Quel compartiment ?... »

Une seconde fois, l'inquiétude se dessina sur le visage de Hildegarde Schmidt, et Poirot lança à son ami un regard réprobateur.

« Tout cela est bien normal, dit-il, apaisant. Le conducteur doit souvent répondre aux appels pendant la nuit. Vous souvenez-vous de quel compartiment il s'agissait ?

— À peu près au milieu de la voiture, monsieur. À deux ou trois portes du compartiment de madame la princesse.

— Ah !... Essayez de nous dire, s'il vous plaît, où c'était, et ce qui s'est passé.

— Il a failli me bousculer, monsieur. C'était au moment où je revenais de mon compartiment avec la couverture supplémentaire.

— Il est sorti d'un compartiment et il a failli vous rentrer dedans ? Dans quelle direction allait-il ?

— Il venait vers moi, monsieur. Il s'est excusé et il a continué dans le couloir, en allant vers le wagon-restaurant. À ce moment-là, on a commencé à sonner, mais je ne crois pas qu'il ait répondu. »

Elle marqua un temps d'arrêt, puis reprit :

« Je ne comprends pas. Comment se fait-il...

— Nous essayons seulement de déterminer les heures, la rassura Poirot. Ce n'est que de la routine. Notre pauvre conducteur semble avoir eu beaucoup de travail, cette nuit. Il a dû aller vous chercher, et puis après cela répondre aux appels.

— Monsieur, ce n'était pas le même conducteur que celui qui était venu me réveiller. C'en était un autre.

— Allons bon !... Un autre !... Vous l'aviez déjà vu ?

— Non, monsieur.

— Vous pensez que vous pourriez le reconnaître ?

— Je pense que oui, monsieur. »

Poirot se pencha à l'oreille de M. Bouc, qui se leva et alla jusqu'à la porte pour donner ses ordres tandis que le détective continuait à poser ses questions d'un ton affable :

« Êtes-vous déjà allée aux États-Unis, Frau Schmidt ?

— Non, monsieur. On dit que c'est un beau pays.

— On vous a signalé, peut-être, qui était en réalité l'homme qui a été tué ?... Et qu'il était le responsable de la mort d'une petite fille ?...

— Oui, monsieur. On m'en a parlé. Je trouve que c'est une histoire abominable, monsieur. Atroce. Je ne comprends pas que le Bon Dieu permette des choses pareilles. Ce n'est pas chez nous, en Allemagne, qu'on irait commettre des atrocités pareilles. »

Hildegarde Schmidt en avait les larmes aux yeux. Son instinct maternel puissant la mettait au comble de l'émotion.

De sa poche, Poirot sortit un carré de batiste[1] et le lui montra.

« Ce mouchoir est-il à vous, Frau Schmidt ? »

Elle garda le silence, le temps d'examiner longuement l'objet. Elle rougit un peu.

« Certainement pas, non. Ce n'est pas à moi, monsieur.

— C'est à cause de l'initiale H, vous comprenez.

1. Toile de lin très fine.

C'est pour cela que j'ai pensé que cela pouvait être à vous.

— Voyons, monsieur... Cela, c'est un mouchoir de dame. C'est un mouchoir très cher. Brodé à la main. À mon avis, cela vient de Paris.

— Ce n'est pas à vous, et vous ne savez pas à qui c'est ?

— Moi ?... Oh, non, monsieur. »

Des trois hommes, seul Poirot perçut la nuance d'hésitation qui était apparue dans le ton de la femme de chambre.

M. Bouc murmura quelques mots à l'oreille du détective, qui marqua son approbation et dit à Hildegarde Schmidt :

« Nous avons fait venir les trois conducteurs des Wagons-Lits. Voudrez-vous être assez aimable pour me dire lequel est celui que vous avez croisé cette nuit dans le couloir en apportant la couverture à la princesse ? »

Les trois employés entrèrent. D'abord, Pierre Michel, suivi du grand et blond conducteur de la voiture Athènes-Paris. Celui de la voiture de Bucarest, corpulent et trapu, fermait la marche.

Hildegarde Schmidt les regarda et secoua la tête.

« Non, monsieur, dit-elle. Aucun d'entre eux n'est celui que j'ai vu cette nuit.

— Mais ce sont les seuls conducteurs qui sont à bord de ce train... Vous devez vous tromper...

— Je suis sûre de ce que je dis, monsieur. Ces trois-

là sont grands et forts. Celui que j'ai vu était petit et brun. Il portait une petite moustache. Quand il m'a dit "Pardon" pour s'excuser, il avait une voix fluette, comme celle d'une femme. Ça, monsieur, je m'en souviens très bien. »

13

Résumé des témoignages des passagers

« Un homme petit et brun avec une voix de femme, hein ?... laissa tomber M. Bouc après le départ de Hildegarde Schmidt et des trois conducteurs. Mais je n'y comprends rien !... Vraiment rien du tout !... Cet ennemi dont avait parlé Ratchett se trouvait donc bien à bord du train !... Mais où est-il passé maintenant ?... Il ne s'est quand même pas évaporé dans l'atmosphère !... J'en ai la tête qui tourne !... Dites quelque chose, mon cher ami, je vous en conjure !... Montrez-moi comment l'impossible peut bien être possible !...

— Que voilà une excellente formule, répondit Poirot. L'impossible ne peut évidemment pas s'être produit. Cela veut dire, par conséquent, que l'impossible est possible en dépit des apparences.

— Dans ce cas, expliquez-moi – et vite, je vous en conjure ! – ce qui s'est réellement passé dans ce train cette nuit.

— Mon cher, je ne suis pas magicien. Je suis tout aussi perplexe que vous. Cette enquête progresse d'une manière plus que bizarre.

— Elle ne progresse pas du tout. Elle n'avance pas d'un pouce. »

Poirot secoua la tête en signe de dénégation.

« Non, ce n'est pas vrai. Nous sommes déjà bien avancés. Nous savons maintenant un certain nombre de choses. Et puis nous avons les témoignages des passagers.

— Et qu'est-ce que cela nous a appris, je vous le demande ? Rien du tout !...

— Mon bon ami, je n'irais pas jusque-là.

— Bon... J'exagère peut-être. L'Américain, ce Hardman, et notre Allemande... Admettons qu'ils nous ont permis d'en savoir davantage. Mais cela n'a fait que rendre les choses encore plus incompréhensibles qu'elles ne l'étaient.

— Non, non, non », répéta Poirot avec douceur.

M. Bouc lui fit face, ironique :

« Eh bien, parlez, très sage Hercule Poirot !...

— Oh ! je viens de vous l'avouer : je suis aussi perplexe que vous. Mais au moins, maintenant, nous pouvons poser le problème. Nous sommes en mesure d'étudier avec ordre et avec méthode les éléments dont nous disposons.

— Poursuivez, monsieur, je vous en prie », dit le Dr Constantine.

Poirot s'éclaircit la voix et, du plat de la main, repassa une feuille de buvard.

« Essayons de résumer l'enquête au point où elle en est à la minute présente. Premièrement, il existe un certain nombre de faits incontestables. Ce Ratchett, ou plutôt Cassetti, est mort la nuit dernière de douze coups de poignard. C'est le fait numéro un.

— Celui-là, très cher, je vous l'accorde bien volontiers », grinça M. Bouc.

Hercule Poirot ne se laissa pas démonter et poursuivit avec calme :

« Pour le moment, je vais laisser de côté quelques éléments qui semblent un peu curieux et dont le Dr Constantine et moi-même avons déjà débattu. À mon avis, le second fait important est *l'heure* à laquelle le crime a été commis.

— Là aussi, fit remarquer M. Bouc, c'est l'une des rares choses que nous sachions avec certitude. Le crime a été commis, cette nuit, à 1 heure et quart du matin. Tout concourt[1] à démontrer que c'est bien cela.

— Pas tout. Vous exagérez encore. Mais je reconnais que bon nombre d'indices appuient cette thèse.

1. Tout est réuni pour.

— Je suis heureux que vous le reconnaissiez enfin... »

Cette interruption laissa Poirot de marbre, et il reprit :

« Nous nous trouvons devant trois possibilités :

» La première, c'est que le crime, comme vous le dites, a bien eu lieu à 1 heure et quart. Le témoignage de Hildegarde Schmidt va dans ce sens, et il colle avec les conclusions que le Dr Constantine a tirées de son examen.

» Deuxièmement, le crime a été commis plus tard dans la nuit, et l'heure qu'indique la montre du mort a été modifiée de façon délibérée.

» La troisième possibilité, c'est que le meurtre, au contraire, remonte à plus tôt dans la nuit, et que les indications qui nous sont données par la montre ont été maquillées, comme dans l'hypothèse précédente.

» Maintenant, si nous acceptons l'idée que la première de ces hypothèses est la plus solide, celle qu'appuie le plus grand nombre d'indices et de témoignages, nous devons aussi accepter certains éléments qui en découlent. Et ceci, pour commencer : si le meurtre a bien été exécuté à 1 heure et quart, le meurtrier n'a pas été en mesure de quitter le train. D'où deux questions toutes simples : *où* est-il et *qui* est-ce ?

» Examinons les témoignages de façon critique. C'est ce Hardman qui, le premier, nous a parlé du petit homme brun à la voix haut perchée. Il nous a dit que

Ratchett lui avait donné le signalement de cet homme et l'avait engagé pour le protéger contre lui. Aucune preuve ne le démontre. Nous devons faire confiance à la parole de Hardman. Il nous faut donc poser une question supplémentaire : Hardman est-il vraiment, comme il l'affirme, l'un des agents opérationnels d'une agence de police privée de New York ?

» Voyez-vous, ce qui fait pour moi tout l'intérêt de cette enquête, c'est que nous ne disposons d'aucun des moyens dont bénéficie en général la police. Nous ne pouvons vérifier l'identité d'aucun des témoins. Nous ne pouvons procéder que par voie de déduction, et c'est cela, à mon goût, qui rend notre problème intéressant. Nous ne pouvons pas nous reposer sur la routine policière. Il faut tout demander à l'intelligence. Je me pose donc la question : “Faut-il accepter comme véridique ce que Hardman dit à son propre sujet ?” Je pèse le pour et le contre, et je réponds : “Oui.” Je suis d'avis que nous pouvons faire confiance à Hardman pour ce qui est de sa situation personnelle.

— Vous croyez donc à votre intuition ? demanda le Dr Constantine. À ce que d'autres appelleraient “votre pif” ?

— Non, pas du tout. Mais je tiens compte des probabilités. Hardman voyage avec un passeport faux ou falsifié. Cela fait de lui, automatiquement, le suspect numéro un. La première chose que la police fera en arrivant sera d'arrêter Hardman et de télégraphier aux États-Unis pour vérifier ses dires. D'ailleurs, dans le cas de nombre de passagers, il ne va pas être facile d'établir leur identité. Pour certains d'entre eux, on n'essaiera même pas, parce qu'il ne semble pas y avoir de motif de les soupçonner. Mais, en ce qui concerne Hardman, c'est clair comme le jour : il est bien ce qu'il prétend, ou il ne l'est pas. Et c'est pourquoi je vous affirme qu'en ce qui le concerne, tout sera en ordre.

— Vous l'estimez donc lavé de tout soupçon ?

— Pas du tout. Vous m'avez mal compris. Pour autant que je le sache, tout détective américain pourrait avoir des motifs bien à lui pour avoir envie de tuer Ratchett. Non, je vous ai seulement affirmé que nous pouvions accepter tel quel ce que Hardman nous a dit *sur lui-même*. Ce qu'il nous a raconté des circonstances de son engagement par Ratchett est plausible, et sans doute, mais pas à coup sûr, véridique. Et si nous pensons que ce peut être véridique, il nous faut essayer d'en découvrir une confirmation. Elle nous arrive de la manière la plus improbable, dans le témoignage de Hildegarde Schmidt. La description qu'elle nous a faite de l'homme en uniforme des Wagons-Lits colle à cent pour cent. Existe-t-il une autre confirmation de ces deux récits ? Eh oui. Nous avons le bouton trouvé dans son compartiment par Mrs Hubbard. Et vous ne l'avez peut-être pas remarqué, mais il y a d'autres témoignages qui corroborent tout cela.

— Lesquels ?

— Le colonel Arbuthnot et MacQueen ont dit tous les deux qu'ils avaient vu le conducteur passer devant la porte du compartiment dans lequel ils discutaient. Ils n'y ont attaché aucune importance. Mais, messieurs, *Pierre Michel nous a certifié qu'il n'avait pas bougé de son siège, sauf à des occasions bien précises.* Et aucune de ces occasions ne l'aurait conduit à aller tout au bout de la voiture, là où, justement, MacQueen et Arbuthnot étaient installés.

» Nous avons donc quatre témoins, directs ou indirects, pour accréditer l'histoire du petit homme brun à la voix haut perchée déguisé en uniforme des Wagons-Lits.

— Il reste un point d'ombre, tout de même, fit valoir le Dr Constantine. Si le récit de Hildegarde Schmidt est vrai, comment se fait-il que le véritable conducteur n'ait pas signalé l'avoir vue quand il est parti répondre à l'appel de Mrs Hubbard ?

— Je pense qu'il y a une explication à cela. Quand le conducteur est arrivé pour répondre à l'appel de Mrs Hubbard, la femme de chambre se trouvait avec la princesse. Et quand elle est ressortie pour retourner dans son propre compartiment, le conducteur était précisément dans celui de Mrs Hubbard. »

M. Bouc éprouvait des difficultés à contenir son impatience.

« Tout cela est bel et bon ! lâcha-t-il. J'admire votre prudence, votre souci d'avancer pas à pas !... Mais je vous affirme que vous n'avez même pas effleuré le point essentiel. Nous sommes tous d'accord pour admettre que cet inconnu existe vraiment. Mais il n'est qu'une seule question qui vaille : *où est-il passé ?* »

Poirot le regarda avec commisération.

« Vous vous trompez du tout au tout. Vous avez tendance à mettre la charrue avant les bœufs. Avant de me demander : *"Où cet homme a-t-il bien pu disparaître ?"*, je me demande : *"L'homme correspondant à ce signalement existe-t-il réellement ?"* Car, réfléchissez, si notre homme n'est qu'une invention, un fruit de l'imagination, en quelque sorte, il n'a vraiment pas le moindre problème pour nous fausser compagnie !... C'est pourquoi j'essaie avant toute chose d'établir si l'homme dont on nous parle est réellement fait de chair et de sang !

— Mais si on s'en tient à la conclusion que cet homme existe bel et bien... *Alors ?...* Où est-il en ce moment ?

— Mon cher, à cela il n'y a que deux réponses possibles. Ou bien il est encore à bord du train, caché d'une façon si ingénieuse que nous ne sommes même pas capables d'imaginer ce que pourrait être sa cachette. Ou bien il est, si j'ose dire, *deux personnes en une seule.* Je veux dire qu'il est, à la fois, l'homme dont Ratchett avait peur... et l'un quelconque des passagers, mais si bien déguisé que Ratchett ne l'a pas reconnu.

— Ça, c'est une idée intéressante, sourit M. Bouc avant de s'assombrir à nouveau. Mais il y a un problème... »

Poirot ne lui laissa pas le temps d'achever :

« La taille de notre homme ? C'est ce qui vous inquiète ?... À la seule exception du valet de chambre de Mr Ratchett, tous les passagers masculins sont de haute taille : l'Italien, le colonel Arbuthnot, Hector MacQueen, le comte Andrenyi... Cela ne nous laisse que le valet de chambre, et c'est une hypothèse que j'hésite à retenir... Mais il y a une alternative. Rappelez-vous la voix haut perchée... Cela nous donne un choix. Notre homme peut être déguisé en femme. Ou bien nous avons vraiment affaire à *une femme.* Habillée de vêtements d'homme, une grande femme paraîtrait petite.

— Mais, enfin, Ratchett l'aurait su !...

— Il le *savait* peut-être. On peut imaginer que cette femme, si c'en est une, avait déjà essayé de le tuer en se déguisant en homme. Et Ratchett aurait pu supposer qu'elle referait le même coup. C'est pourquoi il a mis Hardman en garde contre un homme. Mais il s'est contenté de parler d'une voix "haut perchée", "féminine".

— C'est certes une possibilité, convint M. Bouc. Mais...

— Écoutez, mon bon ami, je dois vous parler maintenant des contradictions relevées par le Dr Constantine lors de son examen du cadavre. »

Poirot se lança dans un exposé détaillé des conclusions auxquelles le médecin et lui-même étaient parvenus sur la nature des blessures infligées au défunt. M. Bouc, la tête dans les mains, se mit à gémir.

« Je sais, dit Poirot avec douceur. J'imagine parfaitement ce que vous ressentez. On en a le cerveau en ébullition, n'est-ce pas ?...

— Nous sommes en plein roman fantastique ! s'écria M. Bouc.

— C'est tout à fait ça. C'est absurde... C'est impossible... Ça ne peut pas être... C'est ce que je me suis dit. Et, en dépit de tout, mes chers amis, c'est ainsi !... Les faits sont têtus !...

— N'est-ce pas ?... Mon cher, tout cela paraît si fou que j'ai en permanence le sentiment que tout, en réalité, est d'une simplicité biblique. Mais je reconnais que ce n'est là qu'une de mes petites lubies...

— Deux assassins..., gémit M. Bouc. Et à bord de l'Orient-Express ! »

Il en pleurait presque.

« Et maintenant, messieurs, reprit Poirot, jovial, notre conte de fées va vous paraître plus incroyable encore. La nuit dernière se trouvaient à bord de notre train deux mystérieux inconnus. D'un côté l'employé des Wagons-Lits qui répond au signalement que nous a fourni Mr Hardman et qui a été vu par Hildegarde Schmidt, par le colonel Arbuthnot et par Mr MacQueen. Et puis cette femme en kimono rouge – une femme longue et mince – que j'ai vue moi-même, et qu'ont vue aussi Pierre Michel, miss Debenham et Mr MacQueen... Sans parler du colonel Arbuthnot qui l'a, si je puis dire, respirée... Qui était cette femme ? Aucune des passagères n'a reconnu posséder un kimono écarlate... Et elle a disparu, elle aussi. Fait-elle une seule et même personne avec notre faux conducteur des Wagons-Lits ? Ou bien est-ce quelqu'un d'autre ?... Ces deux-là, où se sont-ils envolés ?... Et, juste en passant, où se trouvent maintenant l'uniforme des Wagons-Lits et le kimono écarlate ?...

— Voilà enfin quelque chose de concret ! se réjouit M. Bouc en se dressant sur ses pieds. Nous n'avons qu'à fouiller les bagages de tous les passagers. Ah, oui. Cela, c'est précis !... »

Poirot se leva lui aussi.

« Je vais faire une petite prophétie[1], annonça-t-il.

— Vous savez où on les a cachés ?

— J'en ai une vague idée.

— Eh bien, dites-le-nous.

— On trouvera le kimono écarlate dans les valises d'un homme, et l'uniforme des Wagons-Lits dans celles de Hildegarde Schmidt.

— Hildegarde Schmidt ?... Vous ne pensez tout de même pas que...

— Non. Ce n'est pas ça. Disons que, si Hildegarde Schmidt était coupable, il *serait possible* qu'on trouve

1. Annoncer par avance quelque chose qui se vérifiera peut-être.

l'uniforme dans ses bagages. Mais, si elle est innocente, *on l'y trouvera sans l'ombre d'un doute.*

— Mais comment... », reprit M. Bouc.

Il s'arrêta net, et demanda :

« Qu'est-ce que c'est que tout ce raffut ? On dirait une locomotive haut-le-pied[1] !... »

Le vacarme se rapprochait. Il s'agissait en fait des piaillements suraigus d'une femme indignée. On ouvrit à la volée la porte du wagon-restaurant, et Mrs Hubbard jaillit.

« Quelle horreur ! cria-t-elle. Quelle horreur !... Dans ma trousse de toilette !... Ma propre trousse de

1. Vide de voyageurs.

toilette !... Un énorme poignard !... Et il est couvert de sang !... »

Et, perdant soudain connaissance, elle tomba lourdement sur l'épaule de M. Bouc.

14

L'arme du crime parle

Avec plus de vigueur que de galanterie, M. Bouc se débarrassa de la bonne dame évanouie dont il veilla à poser la tête sur la table. Le Dr Constantine appela un des serveurs qui arriva en hâte.

« Maintenez-lui la tête dans cette position, ordonna le médecin. Si elle revient à elle, donnez-lui un peu de cognac. C'est bien compris ? »

Sur ce, il se lança à la poursuite de ses deux compagnons. Le crime le passionnait, mais il ne s'intéressait pas le moins du monde aux dames entre deux âges qui tombent en pâmoison[1].

On ne saurait exclure que la méthode expéditive

---

1. Évanouies.

qui avait été employée n'ait aidé Mrs Hubbard à reprendre plus rapidement ses esprits : à peine quelques minutes plus tard, elle était assise bien droite, buvait le cognac que lui tendait le serveur, et avait déjà repris son flot de paroles :

« Je ne peux vraiment pas vous dire à quel point c'était affreux. Je suis sûre que personne dans ce train ne peut comprendre ce que j'ai ressenti. Depuis ma plus tendre enfance, j'ai toujours été tellement impressionnable. Rien que de voir du sang... Brrr... Quand j'y repense, je me sens repartir. »

Le serveur approcha de nouveau le verre de ses lèvres.

« *Encore un peu,* madame.

— Vous pensez vraiment que ça vaut mieux ? Je n'ai jamais bu une seule goutte d'alcool de toute ma vie. Pas de vin, pas de boisson forte. D'ailleurs, dans ma famille, nous sommes abstinents[1]. Évidemment, si c'est sur avis médical... »

Elle reprit quelques gorgées de cognac.

Pendant ce temps-là, Poirot et M. Bouc, suivis comme leur ombre par le Dr Constantine, avaient abandonné le wagon-restaurant et s'étaient précipités vers le compartiment de Mrs Hubbard. On aurait dit que tous les passagers s'étaient rassemblés devant la porte. Le conducteur, le visage harassé, peinait à les contenir.

---

1. Qui ne boivent pas d'alcool.

« Mais il n'y a rien à voir, disait-il – et il répétait la même phrase en plusieurs langues.

— Laissez-moi passer, je vous prie », ordonna M. Bouc.

Glissant sa bedaine entre les passagers et la cloison du couloir, il pénétra dans le compartiment, Poirot sur les talons.

« Je suis vraiment content que vous arriviez, monsieur le directeur, confia le conducteur avec un soupir de soulagement. Tous ces gens ont essayé d'entrer. La dame américaine... Elle a poussé de ces cris !... Ma foi ! J'ai failli croire qu'elle aussi avait été assassinée !... Je suis arrivé à toute vitesse et je l'ai trouvée qui braillait comme une folle. Elle criait qu'il fallait qu'elle vous voie tout de suite, et puis elle est partie en s'égosillant pour raconter à tout le wagon ce qui venait de se passer ! »

Il ajouta, montrant le compartiment d'un geste :

« *L'objet* est là, monsieur le directeur. Je n'ai touché à rien. »

Une grande trousse de toilette, en tissu caoutchouté à carreaux, était suspendue à la poignée de la porte de communication avec le compartiment adjacent. Juste en dessous, sur le plancher, là où Mrs Hubbard l'avait laissé tomber, il y avait un poignard à lame droite. En fait, une arme à bon marché, pseudo-orientale, à la poignée de cuivre repoussé et au fer tranchant. Des taches pareilles à de la rouille souillaient la lame.

Poirot s'en empara avec des gestes méticuleux.

« Oui, dit-il à mi-voix. Il n'y a pas à s'y tromper. Voilà bien l'arme que nous cherchions. Votre avis, docteur ? »

Le médecin l'examina à son tour.

« Oui, c'est bien l'arme du crime. La forme de la lame correspond parfaitement à chacune des blessures.

— Ne me dites pas ça, mon cher ami, je vous en supplie ! »

Le Dr Constantine en resta interloqué.

« Mais oui, reprit Poirot. Nous n'avons déjà que trop de coïncidences sur les bras. Si deux personnes différentes ont décidé la nuit dernière de poignarder Mr Ratchett, il devient vraiment exagéré de penser qu'elles ont comme par hasard choisi une arme identique !...

— À mon avis, la coïncidence n'est peut-être pas aussi frappante qu'elle paraît à première vue, fit remarquer le médecin. Des milliers de ces poignards prétendument authentiques sont fabriqués chaque année et expédiés tout droit aux revendeurs des bazars de Constantinople.

— Vous me mettez un peu de baume au cœur, mais un peu seulement », dit Poirot.

Songeur, il fixait la porte de communication. Il décrocha la trousse de toilette et appuya sur la poignée. La porte resta bloquée. Le verrou se trouvait à une trentaine de centimètres au-dessus de la poignée.

Poirot l'ouvrit et essaya encore, mais sans plus de succès.

« Nous avons également mis le verrou de l'autre côté, rappelez-vous, fit valoir le médecin.

— Ah oui, c'est vrai », dit Poirot, l'air absent.

Il semblait penser à autre chose et la perplexité plissait son front.

« Tout cela colle, n'est-ce pas ? intervint M. Bouc. L'homme passe par ce compartiment-ci. Au moment où il referme la porte de communication, il touche de la main la trousse de toilette. L'idée lui vient aussitôt d'y cacher son arme encore sanglante. Puis, sans se rendre compte qu'il a réveillé Mrs Hubbard, il gagne le couloir par l'autre porte.

— Peut-être bien, oui..., souffla Poirot, toujours aussi lointain. C'est comme cela que ça a dû se passer.

— Mais, enfin, qu'avez-vous ? interrogea M. Bouc. Il y a vraiment quelque chose qui ne vous convainc pas ?

— Et ça ne vous frappe pas, vous ? répondit Poirot, le regard soudain durci. Non, évidemment non. Enfin, ce n'est qu'un petit rien...

— La dame américaine revient », dit le conducteur en passant sa tête par la porte.

Le Dr Constantine parut gêné. Il se sentait coupable d'avoir abandonné Mrs Hubbard à son sort de manière aussi cavalière. Mais elle ne lui adressa aucun reproche car elle concentrait toute son énergie sur un autre sujet.

« Il faut que ce soit bien clair ! s'écria-t-elle, hors d'haleine. Je ne vais pas rester une seconde de plus dans ce compartiment. Même pour un million de dollars, je ne veux pas y dormir encore ce soir.

— Mais, madame...

— Je sais ce que vous allez dire, et je vous réponds tout net qu'il n'en est pas question ! Vraiment, je préférerais m'asseoir dans le couloir toute la nuit !... »

En larmes, elle ajouta :

« Ah, si ma fille me voyait... Si elle pouvait voir dans quel état je suis, elle...

— Vous avez mal compris, madame, trancha Poirot. Ce que vous souhaitez n'a rien que de très raisonnable. On va à l'instant même transférer vos bagages dans un autre compartiment. »

Mrs Hubbard cessa de se tamponner les yeux de son mouchoir.

« C'est vrai ? Ah ! je me sens déjà mieux. Mais le wagon est plein, et à moins qu'un de ces messieurs...

— Vos valises, madame, expliqua M. Bouc, seront transportées dans l'autre voiture. Vous aurez un compartiment dans le wagon-lit qui a été rattaché à notre train à Belgrade.

— Eh bien, ça, c'est formidable ! Je ne suis certes pas une femme nerveuse, mais dormir dans ce compartiment... À côté de ce mort... Il y aurait de quoi me rendre à moitié folle !

— Michel, ordonna M. Bouc, vous emporterez les

valises de Madame dans un compartiment vide de la voiture d'Athènes.

— Bien, monsieur le directeur. Le même que celui-ci ? Le numéro 3 ?

— Non, intervint Poirot. Je pense qu'il vaudrait mieux que Madame ait un compartiment complètement différent. Le 12, par exemple.

— Bien, monsieur. »

Le conducteur s'empara des valises. Mrs Hubbard se tourna, tout sourire, vers Poirot.

« C'est vraiment très aimable à vous. J'apprécie votre attention, je vous assure.

— Oh ! je vous en prie, madame. Nous allons vous accompagner pour être sûrs que vous êtes bien installée. »

Les trois hommes escortèrent la bonne dame. Elle regarda autour d'elle, souriante.

« C'est très bien.

— Cela vous convient, madame ? Ce compartiment est rigoureusement le même que celui que vous venez de quitter.

— Oui. Enfin, c'est-à-dire... Il ne regarde pas dans le même sens. Mais ça ne fait rien, parce que, avec ces trains, la marche n'arrête pas de changer de sens. J'avais dit à ma fille : "Je veux un compartiment dans le sens de la marche." Mais elle m'a dit : "Mais, maman, qu'est-ce que ça peut faire ? Vous vous endormirez dans un sens, et, quand vous vous réveillerez, le train roulera dans l'autre." Et, vous savez, c'est vrai ce qu'elle m'a dit. Hein, hier soir, nous sommes arrivés à Belgrade dans un sens et nous sommes repartis dans l'autre.

— En tout cas, madame, vous êtes satisfaite, maintenant ?

— Oui. Enfin, je n'irais pas jusque-là. Pour l'instant, nous sommes bloqués par toute cette neige sans que personne y fasse rien, et mon bateau appareille après-demain.

— Madame, souligna M. Bouc, nous sommes tous dans le même cas. Chacun de nous.

— C'est bien vrai, reconnut Mrs Hubbard. Mais personne d'autre que moi n'a eu un assassin dans son compartiment au milieu de la nuit !...

— Ce qui persiste à m'étonner, madame, intervint Poirot, c'est que notre homme ait pu entrer dans votre compartiment si, comme vous le dites, la porte de communication était verrouillée. Vous êtes sûre et certaine qu'elle était verrouillée ?

— La dame suédoise l'a vérifié sous mes yeux.

— Essayons de reconstituer ce court instant. Vous êtes étendue sur votre lit – voilà, comme ça... – et vous n'êtes pas en mesure de voir par vous-même si c'est fermé, dites-vous ?

— Oui, à cause de ma trousse de toilette. Oh, mon Dieu ! il faut que j'en achète une nouvelle. Celle-là, ça me rend malade, rien que de la voir. »

Poirot prit la trousse de toilette et l'accrocha à la poignée de la porte de communication.

« Voilà, c'est parfait, dit-il. Le verrou est juste en dessous de la poignée, et il est dissimulé par la trousse. Et vous ne pouviez voir de votre lit s'il était fermé ou non.

— Eh bien ?... C'est ce que je me suis tuée à vous dire.

— Et notre Suédoise, miss Ohlsson, était exactement entre vous et la porte. Elle a vérifié le verrou, et elle vous a dit qu'il était fermé.

— C'est bien ça.

— Et pourtant, madame, miss Ohlsson a pu se tromper. Regardez ce que je veux dire, expliqua Poirot. Le verrou n'est en fait qu'un levier de métal. Voilà... Quand il est tourné vers la droite, la porte est fermée. Quand il est tourné vers la gauche, elle ne l'est pas. Peut-être s'est-elle contentée d'essayer la porte et, comme le verrou était mis seulement de l'autre côté, dans le compartiment de Mr Ratchett, elle a supposé que le verrou était fermé aussi dans votre compartiment ?

— À mon avis, ç'aurait été vraiment stupide de sa part.

— Madame, les êtres les plus charmants et les plus sympathiques ne sont pas toujours les plus doués.

— Ça, c'est bien vrai !

— À propos, madame, êtes-vous allée à Smyrne par le train également ?

— Non, j'ai pris un bateau direct pour Istamboul. Un ami de ma fille – Mr Johnson... quelqu'un de très bien... vous devriez faire sa connaissance...) – m'attendait à l'arrivée, et m'a fait visiter Istamboul, que j'ai trouvé une ville très décevante. Et puis les mosquées, avec ces espèces de machins qu'il faut mettre sur les chaussures... Mais où en étais-je ?

— Vous nous disiez que Mr Johnson était venu vous attendre à l'arrivée.

— Ah oui, c'est ça. Eh bien, Mr Johnson m'a raccompagnée au port où j'ai pris un bateau des Messageries maritimes françaises à destination de Smyrne. Et le mari de ma fille m'attendait sur le quai. Ah ! je me demande bien ce qu'il dira quand on lui racontera tout ce qui m'arrive !... Ma fille m'avait dit qu'il n'y aurait pas de voyage plus facile et plus sûr. "Vous vous installez dans votre compartiment, elle m'a dit, et vous arriverez tout droit à Paris où quelqu'un de l'American Express viendra vous chercher." Et, maintenant, alors, comment est-ce que je vais faire pour annuler mon passage pour les États-Unis ?... Je dois les prévenir... Mais je ne peux pas le faire maintenant... Ah, vraiment, c'est terrible !... »

Une fois encore, Mrs Hubbard en avait les larmes aux yeux.

Poirot, qui n'avait pu dissimuler quelque impatience, sauta sur l'occasion :

« Vous avez reçu un choc, madame. Nous allons faire demander au personnel du wagon-restaurant de vous apporter du thé et des gâteaux secs.

— Je ne suis pas sûre d'avoir très envie de thé, dit

Mrs Hubbard au milieu de ses pleurs. C'est plutôt une habitude anglaise.

— Eh bien, alors, du café, madame. Il vous faut un remontant.

— Ce cognac m'a fait un peu tourner la tête. J'aimerais bien du café.

— Excellent. Vous avez besoin de vous retaper.

— Me quoi ? Me re-ta-per ? Quelle drôle d'expression !...

— Avant cela, madame, je suis obligé de vous importuner avec un petit point de routine. Me permettez-vous d'examiner rapidement le contenu de vos valises ?

— Pour quoi faire ?

— Nous allons fouiller les bagages de tous les passagers, madame. Je ne souhaite pas vous rappeler un souvenir éprouvant. Mais, enfin... N'oubliez pas ce que vous avez trouvé dans votre trousse de toilette !...

— Miséricorde ! Vous avez sans doute raison. Je ne pourrais pas survivre à une deuxième surprise de ce genre !... »

La fouille fut vite achevée. Mrs Hubbard se contentait d'un bagage succinct : un carton à chapeau, une valise bon marché, et un sac de voyage bourré jusqu'à la gueule. Leur contenu était simple et ne posa aucun problème. L'opération n'aurait pris que quelques minutes si Mrs Hubbard n'avait pas retardé les trois hommes en insistant pour qu'ils accordent toute l'attention qui leur était due aux photographies de « Ma fille » et de deux enfants d'une assez rare laideur : « Les enfants de ma fille. Est-ce qu'ils ne sont pas mignons tout plein ? »

15

Armes et bagages

Poirot, suivi de ses deux compagnons, ne fut en mesure de quitter Mrs Hubbard qu'après lui avoir adressé toutes sortes de politesses dépourvues de la moindre sincérité, et l'avoir assurée qu'ordre serait donné que du café lui soit apporté.

« C'était un début, mais nous avons fait chou blanc[1], remarqua M. Bouc. À qui le tour, maintenant ?

— Allons au plus simple. Voyons les compartiments dans l'ordre, les uns après les autres. Ce qui veut dire que nous allons commencer par le numéro 16, cet excellent Mr Hardman. »

1. Nous avons échoué, nous ne sommes pas parvenus au résultat escompté.

Mr Hardman, qui fumait un gros cigare, les accueillit, affable :

« Donnez-vous la peine d'entrer, messieurs. Enfin... si vous y parvenez. Parce que, pour une réception, on se sent un peu à l'étroit. »

M. Bouc expliqua le motif de leur intrusion, et le gros détective hocha la tête en signe d'approbation.

« Pas de problème en ce qui me concerne. Pour vous dire la vérité, je me demandais pourquoi vous n'aviez pas fait ça plus tôt. Voici les clefs de mes bagages, messieurs, et si vous voulez fouiller aussi mes poches, faites comme chez vous. Voulez-vous que je descende mes valoches ?

— Le conducteur va s'en charger. Michel !... »

Le contenu des « valoches » de Mr Hardman fut rapidement passé au peigne fin. On aurait pu remarquer, tout au plus, qu'elles recelaient une proportion élevée de boissons alcoolisées. Mr Hardman adressa un clin d'œil à ses visiteurs.

« Aux frontières, en général, on ne les fouille pas, les valoches... Surtout si on a filé la pièce au conducteur... J'ai distribué judicieusement une bonne pincée de livres turques et, pour le moment, tout est passé comme une lettre à la poste.

— Et à l'arrivée à Paris ? »

Mr Hardman cligna de l'œil une seconde fois.

« Quand on arrivera à Paris, tout ce qui restera de mes petites provisions tiendra dans un flacon, avec une étiquette "Lotion capillaire"...

— Je vois que vous n'êtes pas un partisan résolu de la Prohibition[1], Mr Hardman, sourit Poirot.

— Je ne peux pas dire qu'elle m'ait jamais causé beaucoup de souci.

— Je vois, intervint M. Bouc. Vous êtes un habitué des bars clandestins. Ah ! *speakeasy*[2]... j'adore ce mot, poursuivit ce digne personnage qui semblait en effet s'en gargariser[3].

— Moi, baragouina Poirot dans un anglais improbable – et histoire sans doute de ne pas demeurer en reste –, j'aimerais bien aller en Amérique.

— Là-bas, vous découvririez des méthodes sacré-

1. Époque où la vente et la consommation d'alcool, aux États-Unis, furent interdites (1919-1933).

2. Bar clandestin (mot américain).

3. Savourer ce mot.

ment rapides. Il faut réveiller l'Europe. Elle roupille, affirma Hardman.

— C'est vrai, convint Poirot. L'Amérique est la patrie du progrès. Et il y a bien des choses que j'admire chez les Américains, mais – vous allez peut-être me juger un peu vieux jeu – je trouve les Américaines moins séduisantes que mes compatriotes. Une midinette française – ou belge –, coquette, mutine... pas une femme au monde ne lui arrivera jamais à la cheville... »

Hardman se tourna vers la fenêtre et fixa un instant l'épaisseur de la neige.

« Vous avez peut-être raison, monsieur Poirot. Mais j'ai dans l'idée que, dans chaque pays, ce sont les filles du coin qu'on trouve les plus belles. »

Ses paupières battaient, comme si la réverbération de la neige l'avait ébloui.

« Ça fait mal aux yeux, ce machin-là, ajouta-t-il. Dites-moi, messieurs, toute cette histoire commence à me taper sur le système. Un meurtre, la neige, et tout et tout, et moi je n'ai rien à faire. Juste à attendre, et à tuer le temps. Moi, pour vivre, j'ai besoin de m'occuper de quelque chose ou de courir après quelqu'un.

— Je reconnais bien là l'esprit d'entreprise du Nouveau Monde », sourit Poirot.

Le conducteur remit en place les bagages de l'Américain, et ils passèrent au compartiment suivant. Assis dans un coin, le colonel Arbuthnot lisait un magazine en fumant sa pipe.

Poirot expliqua le but de leur venue. Le colonel n'éleva aucune objection. Il avait deux lourdes valises de cuir.

« Le reste de mon paquetage a été expédié par bateau », expliqua-t-il.

Comme la plupart des militaires, le colonel aimait les bagages bien rangés, et leur examen ne prit qu'un court moment. Poirot remarqua un paquet de nettoie-pipe.

« Vous utilisez toujours la même marque ? demanda-t-il.

— En général. Quand j'arrive à en trouver.

— Ah ! ah !... » fit Poirot.

Les nettoie-pipes étaient identiques à celui qu'il avait ramassé sur le plancher du compartiment de Ratchett. Le Dr Constantine lui fit la même remarque quand ils furent à nouveau dans le couloir.

« Tout de même, lui murmura Poirot, j'ai de la peine à le croire. Ce n'est pas dans son caractère. Et quand on a dit ça, on a tout dit. »

La porte du compartiment suivant, celui de la princesse Dragomirov, était fermée. Ils frappèrent, et ils entendirent la voix profonde de la princesse :

« *Entrez !* »

M. Bouc fit office de porte-parole. Avec déférence et courtoisie, il exposa les raisons d'une telle invasion. La princesse l'écouta sans rien dire. Son petit visage de crapaud ne perdait rien de son impassibilité.

« Messieurs, si c'est nécessaire, dit-elle enfin avec

calme, tout est à votre disposition. Ma femme de chambre a les clefs. Elle va s'occuper de cela avec vous.

— C'est toujours votre femme de chambre qui a les clefs, madame ? demanda Poirot.

— Absolument, monsieur.

— Et que se passerait-il si, pendant la nuit, au passage d'une frontière, un douanier demandait l'ouverture de l'une de vos valises ?

— C'est tout à fait improbable, répondit la vieille dame en haussant les épaules. Et si cela arrivait, eh bien, le conducteur irait la chercher.

— Implicitement, vous lui faites donc pleinement confiance, madame ?

— Je vous l'ai déjà dit, rétorqua la princesse, toujours aussi calme. Je n'emploie pas à mon service de gens dans lesquels je n'ai pas confiance.

— Oui, reprit Poirot, pensif. La confiance, de nos jours, c'est inestimable. Et sans doute vaut-il mieux avoir à son service une femme de la campagne en qui on puisse avoir pleine confiance qu'une soubrette plus *chic*... Une jolie Parisienne, par exemple. »

Il vit que ses yeux pleins d'intelligence le scrutaient.

« Que voulez-vous insinuer, monsieur Poirot ?

— Mais... rien, madame. Rien du tout.

— Mais si, bien sûr. Vous pensez, n'est-ce pas, qu'une femme comme moi devrait avoir une Française élégante pour veiller sur ses toilettes ?

— Disons, madame, que ce serait plus conforme aux usages. »

Elle secoua la tête.

« Schmidt m'est dévouée. Et le dévouement, ça n'a pas de prix. »

L'Allemande arrivait avec les clefs. La princesse, s'adressant à elle dans sa propre langue, lui ordonna d'ouvrir les valises et d'aider ces messieurs pendant la fouille... Elle-même se tint dans le couloir, à regarder la neige par la fenêtre. Poirot demeura à côté d'elle, laissant à M. Bouc le soin de l'examen des bagages.

Elle eut un sourire sardonique.

« Eh bien, monsieur, le contenu de mes valises ne vous intéresse donc pas ?

— Madame, croyez-moi, ce n'est qu'une formalité. Rien de plus.

— En êtes-vous si sûr ?

— Tout à fait, madame, en ce qui concerne vos bagages.

— Et moi, pourtant, je connaissais et j'aimais Sonia Armstrong. Qu'est-ce que vous croyez donc ? Que je n'aurais pas été souiller mes mains en tuant une canaille comme ce Cassetti ? C'est vrai, vous avez peut-être raison. »

Elle se tut un moment, puis éclata :

« Savez-vous ce que j'aurais aimé faire d'un homme comme lui ? J'aurais voulu pouvoir appeler mes gens et leur ordonner : "Fouettez cet homme à mort, et jetez son cadavre sur le fumier ! ” Quand j’étais jeune, monsieur, c’est ce que l’on faisait. »

Poirot se taisait, attentif.

Elle le fixa soudain, impérieuse.

« Vous ne dites pas un mot, monsieur Poirot. Que pensez-vous, je me le demande bien ? »

Il la fixa à son tour, droit dans les yeux.

« Je pense, madame, que toute votre force est dans votre volonté. Pas dans vos bras. »

Elle regarda ses bras trop minces, marbrés de taches noires, qui s’achevaient par des mains jaunâtres, en forme de pinces, chargées de bagues.

« Vous avez raison, dit-elle, il ne leur reste plus de force. Plus du tout. Je ne sais si je dois m’en réjouir ou le regretter. »

Puis elle se retourna brusquement vers le compartiment où sa femme de chambre s’affairait à remettre de l’ordre dans les valises.

La princesse coupa court aux excuses que ne ménageait pas M. Bouc.

« Vous n’avez aucun besoin de vous excuser, monsieur, dit-elle. Un meurtre a été commis, et certaines démarches doivent être accomplies. C’est comme ça.

— Vous êtes trop aimable, madame. »

Elle salua leur départ d’une brève inclination de la tête.

Les portes des deux compartiments suivants étaient, elles aussi, fermées. M. Bouc s’arrêta et se gratta le haut du crâne.

« Diable ! s'écria-t-il. Nous risquons d'avoir des problèmes. Ces gens-là ont des passeports diplomatiques, et leurs bagages sont dispensés de toute vérification.

— Pour les douanes, oui. Mais quand il s'agit d'un meurtre, c'est différent.

— Je sais. Tout de même... La Compagnie n'aime pas les complications...

— Ne vous en faites pas, mon bon ami. Le comte et la comtesse seront raisonnables. Voyez comme la princesse Dragomirov a été aimable !

— C'est vraiment une grande dame. Ces deux-là sont de la même espèce, mais le comte m'a fait l'effet d'être un homme quelque peu irascible. Il était furieux quand vous avez insisté pour interroger sa femme. Et cela va l'exaspérer encore davantage. Supposons... euh... que nous les oubliions. Après tout, ils n'ont rien à voir avec cette affaire. Je ne vois pas pourquoi je me créerais des problèmes.

— Je ne partage pas votre sentiment, répondit Poirot. J'ai la certitude que le comte Andrenyi se montrera parfaitement raisonnable. En tout cas, essayons. »

Et, avant même que M. Bouc n'ait pu placer un mot, il frappa fermement à la porte du compartiment numéro 13.

« *Entrez !* » cria une voix.

Le comte était assis dans le coin, près de la porte, et lisait un journal. La comtesse était lovée dans le coin opposé, près de la fenêtre. Un oreiller sous la tête. Elle semblait avoir dormi.

« Je vous demande pardon, monsieur le comte, dit Poirot. Je vous prie d'excuser cette intrusion. Nous sommes contraints de procéder à la fouille de tous les bagages. Dans la plupart des cas, ce n'est qu'une formalité, mais nous devons y procéder cependant. M. Bouc fait valoir qu'en tant que titulaires de passeports diplomatiques, vous pourriez à juste titre demander à être dispensés de cet examen. »

Le comte réfléchit quelques instants.

« Je vous remercie, finit-il par dire. Mais il ne me paraît pas souhaitable qu'une exception soit faite dans mon cas. Je préfère que mes bagages soient vérifiés comme ceux des autres passagers. »

Il se tourna vers son épouse.

« Vous n'y voyez pas d'objection, Elena, j'espère ?

— Pas le moins du monde », dit la comtesse sans la moindre hésitation.

Une fouille rapide, et plutôt pour la forme, fut aussitôt menée. Poirot semblait prendre soin de masquer son embarras en multipliant les remarques futiles.

« Il y a encore une étiquette humide sur votre valise », dit-il en soulevant une valise de maroquin bleu, marquée d'initiales et d'une couronne comtale.

La comtesse ne répliqua pas. L'ensemble de l'opération paraissait lui causer un ennui profond. Elle restait repliée dans son coin, à regarder d'un air songeur par la fenêtre, pendant que ses bagages étaient examinés dans le compartiment adjacent.

Poirot acheva la fouille en ouvrant la petite armoire placée au-dessus du lavabo et en jetant un coup d'œil rapide à ce qu'elle contenait : une éponge, de la crème pour le visage, de la poudre de riz et un petit flacon marqué *Trional.*

Puis, avec un échange de politesses de part et d'autre, les trois hommes se retirèrent.

Ils passèrent sans s'arrêter devant le compartiment qu'avait occupé Mrs Hubbard, celui de Ratchett, celui de Poirot, et parvinrent au premier des compartiments de seconde classe, celui des lits numéros 10 et 11.

Mary Debenham lisait un livre. Greta Ohlsson dormait du sommeil du juste, mais s'éveilla en sursaut à leur arrivée.

Poirot répéta ses formules d'explication. La Suédoise paraissait inquiète, Mary Debenham calme et indifférente.

Hercule Poirot s'adressa d'abord à Greta Ohlsson :

« Si vous le permettez, mademoiselle, nous regarderons vos bagages les premiers. Ensuite, vous serez peut-être assez gentille pour aller voir comment va Mrs Hubbard. On a déménagé ses affaires dans un compartiment de l'autre voiture, mais elle est encore très choquée par la découverte qu'elle a faite. J'ai commandé qu'on lui apporte du café, mais je pense qu'elle est de celles pour qui parler est aussi vital que respirer. »

La Suédoise au grand cœur exprima aussitôt son accord. Elle irait sur-le-champ, déclara-t-elle. La pauvre Mrs Hubbard, pensait-elle, devait avoir subi un grand choc nerveux, alors qu'elle était déjà bouleversée par le voyage et par la séparation d'avec sa fille. Oui, oui, elle partait immédiatement – ses valises n'étaient pas fermées à clef – et elle emportait avec elle des sels d'ammoniac.

Elle sortit en hâte. Son bagage fut vite vu. Il était assez réduit. Il était évident qu'elle ne s'était pas aperçue de ce qui était arrivé à son carton à chapeau.

Miss Debenham avait posé son livre et observait Poirot. Quand il les lui demanda, elle lui tendit les clefs de ses valises. Alors qu'il ouvrait le couvercle de la première, elle demanda :

« Pourquoi avoir fait partir miss Ohlsson ?

— Moi, mademoiselle ? Mais pour s'occuper de Mrs Hubbard.

— C'est un excellent prétexte... Mais c'est un prétexte tout de même.

— Je ne vous suis pas, mademoiselle.

— Je suis sûre que vous me comprenez parfaitement. »

Elle lui sourit.

« Vous vouliez me voir seule, n'est-ce pas ?

— Vous me faites dire ce que je ne dis pas, mademoiselle.

— Et je vous fais penser ce que vous ne pensez

pas ?... Non, je ne vous crois pas. Vous avez déjà votre petite idée. N'ai-je pas raison ?

— Mademoiselle, nous avons un proverbe...

— *Qui s'excuse s'accuse...* C'est à cela que vous faites allusion ? Faites-moi la grâce de m'accorder un certain sens de l'observation et un peu de bon sens aussi. Pour une raison quelconque, vous vous êtes mis dans la tête que j'en sais plus que je n'en veux dire sur cette histoire sordide... Sur le meurtre d'un homme que je n'avais jamais vu auparavant.

— Vous vous imaginez des choses, mademoiselle.

— Non, je n'imagine rien du tout. Mais il me semble qu'on perd beaucoup de temps en ne disant pas la vérité. En tournant autour du pot au lieu d'en venir droit au fait.

— Et vous, vous n'aimez pas perdre votre temps. Non, vous aimez aller droit au fait. Vous êtes pour la méthode directe. Eh bien, je vais vous en donner, moi, de la méthode directe. Je vais vous demander ce que veulent dire certains mots que j'ai entendus par hasard pendant notre voyage depuis la Syrie. À la gare de Konya, mademoiselle, je suis descendu sur le quai pour me dégourdir les jambes. Au beau milieu de la nuit, j'ai entendu votre voix, et celle du colonel. Vous lui disiez : *"Pas maintenant ! Pas maintenant ! Quand tout sera fini. Quand ce sera enfin derrière nous."* Voulez-vous, mademoiselle, me dire ce que signifiaient vos paroles ?

— Pensez-vous que je faisais allusion à... un meurtre ? demanda-t-elle d'une voix tranquille.

— C'est moi qui pose les questions, mademoiselle. »

Elle soupira, et demeura un moment perdue dans ses pensées. Puis, comme si elle s'arrachait à elle-même, elle finit par dire :

« Mes paroles avaient effectivement un sens, monsieur, mais je ne puis pas vous le révéler. Je peux seulement vous donner solennellement ma parole que je n'avais jamais de ma vie vu ce Ratchett avant de le rencontrer dans ce train.

— Vous... vous refusez de m'expliquer vos paroles ?

— Oui. Si vous voulez l'entendre comme cela, je refuse. Elles concernent... une tâche que j'ai entreprise.

— Une tâche qui est aujourd'hui achevée ?

— Que voulez-vous dire ?

— Elle est achevée, n'est-ce pas ?

— Pourquoi voulez-vous absolument croire cela ?

— Écoutez-moi, mademoiselle. Je dois vous remettre en mémoire un autre incident. Avant que nous n'arrivions à Istamboul, notre train a été retardé. Cela vous a extrêmement agitée, mademoiselle. Alors que vous êtes si calme, si maîtresse de vous, vous avez perdu votre sang-froid.

— J'avais peur de manquer la correspondance.

— C'est ce que vous dites. Mais, mademoiselle,

l'Orient-Express part d'Istamboul tous les jours de la semaine. Au pire, si vous aviez manqué la correspondance, vous n'auriez été retardée que de vingt-quatre heures. »

Pour la première fois, miss Debenham laissa voir que la moutarde lui montait au nez :

« Vous ne paraissez pas capable d'imaginer qu'on peut avoir des amis à Londres qui attendent votre arrivée, et qu'une journée de retard bouleverse toutes sortes d'arrangements et provoque une foule de problèmes.

— Ah !... C'est de cela qu'il s'agit !... Vous avez des amis qui vous attendent ?... Et vous ne voulez pas leur causer des problèmes ?...

— Naturellement.

— Eh bien... Ça, c'est curieux.

— Qu'est-ce qui est curieux ?

— Voyez-vous, à bord de ce train, de nouveau, nous sommes en retard. Et, cette fois, c'est un retard bien plus grave, puisque vous n'avez plus aucune possibilité d'envoyer un télégramme à vos amis, ou de les appeler à longue... à longue...

— *À longue distance ?* Au téléphone, vous voulez dire ?

— Oui, c'est cela. Un appel sur voie étroite, comme vous dites en Angleterre. »

En dépit d'elle-même, elle esquissa un sourire devant les efforts linguistiques de Poirot.

« Un appel sur voie spéciale, le corrigea-t-elle. Mais

oui, comme vous le dites, c'est extrêmement ennuyeux de ne pas pouvoir communiquer, que ce soit par télégramme ou par téléphone.

— Et pourtant, mademoiselle, *cette fois-ci,* votre comportement est tout différent. Vous ne montrez aucune impatience. Vous êtes calme et détachée. »

Mary Debenham rougit et se mordit les lèvres.

« Vous ne répondez pas, mademoiselle ?

— Pardonnez-moi. Je ne pensais pas que vous attendiez une réponse.

— Si, mademoiselle. Sur l'explication de votre changement d'attitude.

— Monsieur Poirot, vous n'avez pas le sentiment que vous faites beaucoup de bruit pour pas grand-chose ? »

Poirot écarta les bras dans un geste d'excuse.

« Ce doit être un défaut de nous autres, détectives. Nous pensons qu'un comportement doit toujours être cohérent. Les sautes d'humeur nous dérangent. »

Mary Debenham s'abstint de répondre.

« Vous connaissez bien le colonel Arbuthnot, mademoiselle ? »

Il eut l'impression que ce changement de sujet la soulageait.

« Je l'ai rencontré pour la première fois pendant ce voyage.

— Avez-vous la moindre raison de penser qu'il pouvait connaître ce Ratchett ? »

Elle secoua la tête.

« Je suis sûre que non.

— Pourquoi en êtes-vous si sûre ?

— Rien qu'à sa façon de parler.

— Et pourtant, mademoiselle, nous avons découvert l'un des nettoie-pipes du colonel sur le plancher du compartiment de l'homme qui a été tué. Et il se trouve que le colonel est le seul voyageur de ce train à fumer la pipe. »

Il ne la lâchait pas des yeux, mais elle ne manifesta ni surprise ni émotion.

« Cela n'a pas de sens. C'est absurde. Le colonel Arbuthnot est bien le dernier homme au monde à pouvoir se trouver mêlé à un crime !... Surtout à un crime aussi spectaculaire que celui-là !... »

Cela paraissait si vrai que Poirot faillit lui dire qu'il était d'accord avec elle. Mais il se borna à remarquer :

« Puis-je vous rappeler, mademoiselle, que vous ne le connaissez quand même pas très bien ?

— Je connais assez bien les hommes de son genre », répondit-elle en haussant les épaules.

Il lui demanda très doucement :

« Vous refusez toujours de me donner la signification de vos paroles : *"Quand ce sera enfin derrière nous"* ?

— Je n'ai rien à ajouter, rétorqua-t-elle froidement.

— Cela ne fait rien, dit Hercule Poirot. Je finirai bien par trouver. »

Il s'inclina et, quittant le compartiment, referma la porte derrière lui.

« Était-ce bien sage, mon cher ami ? s'interrogea ensuite M. Bouc. Vous l'avez mise sur ses gardes... Et, à travers elle, vous avez mis en garde le colonel lui aussi.

— Mon bon ami, quand vous voulez attraper un lapin, vous mettez un furet dans son terrier. Et si le lapin est là, il détale. Je n'ai pas fait autre chose. »

Ils entrèrent ensuite dans le compartiment de Hildegarde Schmidt. L'Allemande, debout, les attendait, le visage respectueux mais dépourvu d'émotion.

Poirot ne jeta qu'un bref coup d'œil à la petite valise qui était posée sur la banquette. Puis il fit signe à l'employé de descendre la valise plus grande qui se trouvait dans le casier à bagages.

« Les clefs ? demanda-t-il.

— Ce n'est pas fermé, monsieur. »

Poirot déboucla les fermetures et souleva le couvercle.

« Ah, ah ! s'écria-t-il, tourné vers M. Bouc. Vous vous souvenez de ce que je vous avais dit ? Regardez donc une minute !... »

Sur le dessus de la valise, se trouvait, hâtivement roulé, un uniforme marron de la Compagnie des wagons-lits.

Le calme de la femme de chambre se changea en affolement.

« *Ach !* cria-t-elle. Ce n'est pas à moi ! Je n'ai pas mis ça là ! Je n'ai pas ouvert cette valise depuis notre départ d'Istamboul ! C'est vrai, c'est vrai, je le jure !... »

Elle les regardait l'un après l'autre, suppliante.

Poirot la prit doucement par le bras pour la calmer.

« Mais non, mais non. Je vous assure qu'il n'y a pas de problème. Nous vous croyons. Ne vous inquiétez pas. Je suis aussi sûr que vous n'avez pas caché cet uniforme là que je suis sûr que vous êtes une bonne cuisinière. Vous voyez... Vous êtes bonne cuisinière, n'est-ce pas ? »

Étonnée, l'Allemande sourit malgré son angoisse.

« Oui, bien sûr, toutes mes patronnes l'ont dit. Je... »

Elle s'arrêta net, bouche bée, à nouveau inquiète.

« Non, non, reprit Poirot, je vous assure qu'il n'y a pas de problème. Voyez, je vais vous expliquer comment ça s'est passé. Cet homme, celui que vous avez vu en uniforme des Wagons-Lits, sort du compartiment de l'homme qui a été tué. Il manque de vous rentrer dedans. Il n'a pas de chance. Il pensait que personne ne le verrait. Que va-t-il faire ? Il faut qu'il se débarrasse de cet uniforme, qui ne le protège plus, mais qui peut le mettre en danger. »

Il regardait M. Bouc et le Dr Constantine, qui l'écoutaient avec la plus grande attention.

« Vous voyez, poursuivit Poirot, il y a toute cette neige. Ça change tous ses plans. Où peut-il bien cacher ces vêtements ? Tous les compartiments sont occupés. Et voilà qu'il passe devant un compartiment dont la porte est grande ouverte. Il voit qu'il est vide. Il se glisse à l'intérieur, enlève l'uniforme, et le roule en boule dans la valise qui est dans le casier. Tout lui donne à penser que ce ne sera pas découvert tout de suite.

— Et alors ? demanda M. Bouc.

— Nous en discuterons », répondit Poirot, avec un regard significatif.

Il prit la tunique. Il manquait un bouton, le troisième à partir du bas. Puis il fouilla les poches et en sortit une clef carrée de conducteur, destinée à ouvrir la porte des compartiments.

« Voilà qui explique comment notre homme pouvait passer par des portes fermées, constata M. Bouc. Verrouillée ou pas, il a pu utiliser sans problème la porte de communication. Et, après tout, s'il avait un uniforme des Wagons-Lits, pourquoi n'aurait-il pas eu une clef des Wagons-Lits, hein ?...

— Pourquoi pas, en effet ? admit Poirot.

— Nous aurions dû nous en douter. Vous vous souvenez ? Michel nous a dit que la porte du compartiment de Mrs Hubbard qui donne sur le couloir était fermée quand il a répondu à la sonnerie.

— C'est bien cela, monsieur, confirma le conducteur. C'est pour ça que j'ai pensé que la dame avait eu un cauchemar.

— Maintenant, c'est tout simple, reprit M. Bouc. Notre homme avait sans aucun doute l'intention de refermer la porte de communication, elle aussi. Mais il a peut-être entendu que quelqu'un bougeait dans la couchette, et il a pris peur.

— Il ne nous reste plus, conclut Poirot, qu'à découvrir le kimono écarlate.

— C'est vrai. Et les deux compartiments qu'il nous reste à voir sont occupés par des hommes.

— Nous allons fouiller quand même.

— Oui, bien sûr. Et, de toute façon, je n'ai pas oublié votre prophétie. »

Hector MacQueen accepta la fouille de bonne grâce.

« Eh bien, faites comme vous voulez, déclara-t-il avec un triste sourire. J'ai l'impression que c'est moi la personne la plus suspecte de tout le train. Et si par hasard vous découvrez un testament dans lequel le vieux me lègue toute sa fortune, je serai bon comme la romaine[1] !... »

M. Bouc lui lança un regard inquisiteur.

« Ce n'était qu'une mauvaise plaisanterie, se hâta d'ajouter MacQueen. Il ne m'aurait jamais laissé un radis. Je lui étais utile, c'est tout. Pour les langues étrangères et ainsi de suite. Vous risquez souvent de vous faire avoir, vous savez, si vous ne parlez rien d'autre que l'américain. Je ne peux pas dire que je suis moi-même un interprète, mais je connais ce que j'appellerai le français, l'allemand et l'italien des magasins et des hôtels. »

1. Trop bon, jusqu'à passer pour une victime.

Il parlait plus fort que de coutume. On aurait dit que la fouille le mettait mal à l'aise en dépit de la bonne volonté qu'il avait affichée.

Poirot émergea.

« Rien, dit-il. Même pas un codicille[1] compromettant !... »

MacQueen soupira.

« Eh bien, voilà au moins un poids qui m'est ôté ! »

Ils passèrent dans le dernier compartiment. L'examen des valises du gros Italien et du valet de chambre ne donna aucun résultat.

Les trois hommes, se regardant l'un l'autre, se tenaient au bout du wagon-lit.

« Et maintenant ? demanda M. Bouc.

— Retournons au wagon-restaurant, décida Poirot. Nous savons maintenant tout ce qu'il est humainement possible de savoir. Nous sommes en possession des témoignages des passagers. Nous avons fouillé leurs bagages. Et nous avons aussi ce que nos yeux ont vu. Nous n'avons plus aucune aide à espérer. Notre rôle, maintenant, c'est de faire travailler notre matière grise. »

Il sortit de sa poche son étui à cigarettes et le trouva vide.

« Je vous rejoins tout de suite, dit-il à ses compagnons. J'ai besoin de mes cigarettes. Vraiment, nous avons là une affaire étonnante, très complexe. Qui

1. Document qui modifie ou annule un testament.

donc portait le kimono écarlate ? Et où est-il donc maintenant ? Je voudrais bien le savoir... Dans toute cette enquête, il y a un élément – je ne sais lequel – qui m'échappe !... Mais si c'est complexe, c'est parce qu'on a fait en sorte que ce soit complexe. Nous en reparlerons. Excusez-moi une seconde. »

Il parcourut rapidement le couloir jusqu'à son propre compartiment. Il savait qu'il lui restait une cartouche de cigarettes dans une de ses valises.

Il l'attrapa et fit jouer les serrures.

Puis il eut un haut-le-corps et se laissa tomber sur sa couchette, les yeux écarquillés.

On avait posé sur le haut de sa valise un fin kimono de soie écarlate brodé de dragons.

« Alors, c'est comme ça ! siffla-t-il. Un défi. Très bien !... Je relève le gant !... »

TROISIÈME PARTIE
POIROT PREND DU RECUL

1

Lequel ?

M. Bouc et le Dr Constantine étaient en grande conversation quand Poirot pénétra dans le wagon-restaurant. M. Bouc semblait très déprimé.

« Le voilà, enfin ! » dit-il en voyant Poirot.

Puis il ajouta, pendant que son ami prenait place :

« Si vous venez à bout de cette affaire, mon très cher, je me mettrai à croire aux miracles.

— Elle vous inquiète, cette affaire ?

— Bien sûr, qu'elle m'inquiète. Pour moi, tout cela n'a ni queue ni tête.

— Je partage votre avis, ajouta le médecin. Pour être franc, je ne vois pas ce que vous allez bien pouvoir faire maintenant.

— Non ? » s'étonna Poirot.

Il sortit son étui et alluma l'une de ses petites cigarettes. Son regard devint rêveur.

« Pour moi, dit-il, c'est bien là ce qui fait tout l'intérêt de cette affaire. Toutes les voies normales de la procédure d'enquête nous sont interdites. Tous ces gens qui nous ont fourni un témoignage, nous disent-ils la vérité, ou bien mentent-ils ? Nous n'avons aucun moyen de le déterminer... Sauf si nous trouvons ce moyen par nous-mêmes. Et là, cela devient un exercice purement intellectuel.

— C'est bien joli, tout ça, grogna M. Bouc. Mais qu'est-ce que vous avez pour aller de l'avant ?

— Je viens de vous le dire. Nous avons les témoignages des passagers, et nous avons aussi ce que nos propres yeux ont vu.

— Ils sont jolis, les témoignages des passagers !... Ils ne nous ont rien appris du tout.

— Je ne suis pas d'accord avec vous, mon bon ami, dit Poirot en secouant la tête. Ces témoignages nous ont apporté de nombreux éléments très intéressants.

— Ben voyons..., ironisa M. Bouc. Je n'ai pas eu l'occasion de m'en apercevoir.

— C'est parce que vous n'avez pas bien écouté.

— Eh bien, dites-le-moi. Qu'est-ce qui m'a échappé ?

— Je ne vais prendre qu'un seul exemple... Le

tout premier témoignage... Celui du jeune MacQueen. À mon avis, il a eu une phrase des plus significatives.

— À propos des lettres de menace ?

— Non, pas à propos des lettres. Si ma mémoire est bonne, il nous a dit très exactement : “*Nous avons beaucoup voyagé. Mr Ratchett voulait connaître le vaste monde. Mais il ne parlait pas d'autre langue que l'anglais, ce qui le gênait énormément. En fait, j'étais plus son accompagnateur que son secrétaire.*” »

Le regard de Poirot allait de M. Bouc au Dr Constantine.

« Eh bien ? Vous ne voyez toujours pas ? Vous êtes inexcusables, car MacQueen vient tout juste de vous donner une deuxième chance de comprendre quand

il nous a dit : *“Vous risquez souvent de vous faire avoir si vous ne parlez rien d'autre que l'américain.”*

— Vous êtes en train de nous dire que...

— Que vous êtes exigeants !... Vous voudriez qu'on vous dise tout en mots d'une seule syllabe !... Mais j'y viens !... *Mr Ratchett ne parlait pas un traître mot de français.* Et pourtant, la nuit dernière, quand le conducteur a répondu à son appel, c'est une voix parlant *en français* qui lui a dit que c'était une erreur et qu'on n'avait pas besoin de lui. Et j'ajoute que la phrase qui a été employée était grammaticalement impeccable, et qu'elle n'aurait pas été utilisée par quelqu'un n'ayant qu'une connaissance sommaire de la langue française : *“Ce n'est rien. Je me suis trompé...”*

— Mais c'est vrai, ça, s'écria le Dr Constantine au comble de l'excitation. Nous aurions dû nous en apercevoir. Je me rappelle avec quelle insistance vous nous avez rapporté ces paroles. Et je comprends maintenant vos réticences à faire confiance à l'heure qui nous était donnée par la montre du mort. À 1 heure moins 23, Ratchett était mort...

— ... et c'est son meurtrier qui parlait, acheva M. Bouc.

— N'allons pas si vite, dit Poirot, levant la main comme pour freiner son auditoire, et ne considérons pas comme avérées plus de choses que nous ne le pouvons. Tout ce que l'on peut avancer en toute certitude, je crois, c'est qu'à 1 heure moins 23, *une autre per-*

sonne se trouvait dans le compartiment de Ratchett, et que cette personne était de nationalité française, ou parlait un français parfait.

— Vous êtes vraiment très prudent, mon bon.

— Il vaut mieux progresser pas à pas. Rien ne nous *prouve* que Ratchett était déjà mort à cette heure-là.

— Mais il y a ce cri qui vous a réveillé.

— Oui. Cela, c'est vrai.

— Mais, d'une certaine façon, réfléchit M. Bouc, cet élément nouveau ne change pas grand-chose. Vous avez entendu quelqu'un s'agiter dans le compartiment à côté du vôtre. Ce quelqu'un n'était pas Ratchett, mais l'autre homme. À coup sûr, il essuie le sang de ses mains, met un peu d'ordre dans le compartiment après son crime, et brûle la lettre compromettante. Puis il attend que tout soit redevenu silencieux, et, quand il croit que la voie est libre et qu'il est en sécurité, il ferme la porte du couloir du compartiment de Ratchett et met la chaîne de sûreté, puis il déverrouille la porte de communication avec le compartiment de Mrs Hubbard et prend ainsi la poudre d'escampette. En fait, les choses se passent exactement comme nous l'avions pensé, *mais avec cette différence que Ratchett a été tué une demi-heure plus tôt,* et que la montre a été réglée sur 1 heure et quart pour créer un alibi.

— À y regarder de près, ce n'est pas un alibi

bien fameux, fit valoir Poirot. Les aiguilles de la montre indiquaient 1 h 15, c'est-à-dire très précisément le moment où l'assassin quittait les lieux du crime.

— C'est vrai, reconnut M. Bouc, étonné. Mais alors, à votre avis, que signifie l'heure indiquée par la montre ?

— Si – je dis bien *si* – on a volontairement faussé l'heure, cela *doit* avoir un sens. Car, pour moi, la première réaction serait de faire porter mes soupçons sur toute personne ayant justement un solide alibi pour l'heure qui nous est donnée, c'est-à-dire 1 h 15.

— Tout à fait, tout à fait, approuva le médecin. Le raisonnement se tient.

— Mais, reprit Poirot, nous devons aussi nous intéresser à l'heure à laquelle notre inconnu est *entré* dans le compartiment de Ratchett. Quand a-t-il eu la possibilité de le faire ? Sauf à supposer que le véritable conducteur, Pierre Michel, est son complice, il n'y a qu'un seul moment dans la soirée où cela a été possible : pendant notre arrêt en gare de Vincovci. Quand nous avons quitté Vincovci, le conducteur, de sa place, voyait l'ensemble du couloir, et, si un passager n'aurait pas particulièrement remarqué un faux employé des Wagons-Lits, *la* personne qui aurait immédiatement repéré un imposteur, c'est bien le vrai conducteur. Mais, pendant que le train était en gare de Vincovci, le conducteur se trouvait sur le quai, et la voie était libre.

— Ce qui fait qu'en vertu de notre raisonnement précédent, il ne peut s'agir que de l'un des passagers, insista M. Bouc. Nous en revenons à notre point de départ. Mais lequel ?

— J'ai préparé une petite liste, sourit Poirot. Si vous voulez bien y jeter un coup d'œil, je crois que cela vous rafraîchira la mémoire. »

M. Bouc et le Dr Constantine se penchèrent tous les deux sur le document qu'avait établi Poirot. D'une écriture très nette, avec méthode, le détective avait inscrit les noms des témoins dans l'ordre dans lequel ils avaient été interrogés :

HECTOR MACQUEEN	Citoyen américain. Lit n° 6 – 2e classe.
Mobile	Pourrait découler de sa collaboration avec le mort.
Alibi	De minuit à 2 heures. (Corroboré par le colonel Arbuthnot entre minuit et 1 h 30, et par le conducteur entre 1 h 15 et 2 heures.)
Preuves	Aucune.
Présomptions	Aucune.

CONDUCTEUR PIERRE MICHEL	Citoyen français.
Mobile possible	Aucun.
Alibi	De minuit à 2 heures. (A été vu dans le couloir par H.P. au moment même où l'inconnu a parlé depuis le compartiment de Ratchett à minuit 37.) De 1 heure à 1 h 16. (Corroboré par les deux autres conducteurs.)
Preuves	Aucune.
Présomptions	La découverte de l'uniforme des Wagons-Lits joue en sa faveur, puisqu'elle semble prouver qu'on a tenté de l'impliquer.
EDWARD MASTERMAN	Citoyen britannique. Lit n° 4 – 2e classe.
Mobile	Peut découler de son travail pour le mort, dont il était le valet de chambre.
Alibi	De minuit à 2 heures. (Corroboré par Antonio Foscarelli.)

Preuves	Aucune, sauf qu'il est le seul dont la taille et la corpulence correspondent à l'uniforme des Wagons-Lits. Mais il paraît très improbable qu'il parle bien français.
MRS HUBBARD	Citoyenne américaine. Lit n° 3 – 1re classe.
Mobile	Aucun.
Alibi	De minuit à 2 heures. (Pas de confirmation.) Preuves ou présomptions. Son récit sur la présence d'un homme dans son compartiment est attesté par les témoignages de Hardman et de Hildegarde Schmidt.
GRETA OHLSSON	Citoyenne suédoise. Lit n° 10 – 2e classe.
Mobile	Aucun.
Alibi	De minuit à 2 heures. (Corroboré par Mary Debenham.) *N.B.*[1] A été la dernière à voir Ratchett vivant.

1. *Nota bene* : Notez bien « (expression latine) ».

PRINCESSE DRAGOMIROV	Citoyenne française par naturalisation. Lit n° 14 – 1re classe.
Mobile	Intime de la famille Armstrong. Était la marraine de Sonia Armstrong.
Alibi	De minuit à 2 heures. (Corroboré par le conducteur et par sa femme de chambre.)
Preuves ou présomptions	Aucune.
COMTE ANDRENYI	Citoyen hongrois. Passeport diplomatique. Lit n° 13 – 1re classe.
Mobile	Aucun.
Alibi	De minuit à 2 heures. (Corroboré par le conducteur, sauf pour la période entre 1 heure et 1 h 15.)
COMTESSE ANDRENYI	*Cf.*[1] ci-dessus. Lit n° 12.
Mobile	Aucun.
Alibi	De minuit à 2 heures. A pris du Trional et a dormi. (Corroboré par le mari. Flacon de Trional dans l'armoire.)

1. *Confer* : « se reporter à » (mot latin).

COLONEL ARBUTHNOT	Citoyen britannique. Lit n° 15 – 1re classe.
Mobile	Aucun.
Alibi	De minuit à 2 heures. A discuté avec MacQueen jusqu'à 1 h 30. N'a pas quitté son compartiment. (Corroboré par MacQueen et par le conducteur.)
Preuves ou indices	Le nettoie-pipe.

CYRUS HARDMAN	Citoyen américain. Lit n° 16 – 2e classe.
Mobile	Pas de mobile connu.
Alibi	De minuit à 2 heures. N'a pas quitté son compartiment. (Corroboré par MacQueen et par le conducteur.)
Preuves ou présomptions	Aucune.

ANTONIO FOSCARELLI	Citoyen américain par naturalisation. (Origine italienne.) Lit n° 5 – 2e classe.
Mobile	Pas de mobile connu.
Alibi	De minuit à 2 heures. (Corroboré par Edward Masterman.)
Preuves ou présomptions	Aucune, sauf qu'on peut juger que l'arme du crime correspond à sa personnalité. (*Cf.* M. Bouc.)

MARY DEBENHAM	Citoyenne britannique. Lit n° 11 – 2e classe.
Mobile	Aucun.
Alibi	De minuit à 2 heures. (Corroboré par Greta Ohlsson.)

Preuves ou présomptions	Conversation surprise par H.P. et refus de s'expliquer.
HILDEGARDE SCHMIDT	Citoyenne allemande. Lit n° 8 – 2e classe.
Mobile	Aucun.
Alibi	De minuit à 2 heures. (Corroboré par le conducteur et par la princesse.) S'est couchée. A été réveillée par le conducteur à 0 h 38 environ et s'est rendue auprès de la princesse.

NOTES : *Les témoignages des passagers sont confirmés par la déclaration du conducteur, selon laquelle personne n'est entré dans le compartiment de Ratchett, ou n'en est sorti, entre minuit et 1 heure (le conducteur s'est alors rendu dans l'autre voiture) et entre 1 h 15 et 2 heures.*

« Vous comprenez bien, précisa Poirot, que ce document ne fait que reprendre les témoignages que nous avons entendus et que j'ai présentés de cette façon pour plus de commodité. »

M. Bouc fit la moue, et rendit le papier à Hercule Poirot.

« Cela ne m'éclaire pas beaucoup, grinça-t-il.

— Alors, ceci sera peut-être davantage à votre goût », répondit Poirot en lui tendant une autre feuille.

2

Dix questions

Sur cette feuille, Poirot avait seulement écrit :

QUESTIONS À POSER

1) *À qui appartient le mouchoir marqué de l'initiale H ?*

2) *Est-ce le colonel Arbuthnot qui a laissé tomber le nettoie-pipe ? Ou quelqu'un d'autre ?*

3) *Qui avait revêtu le kimono écarlate ?*

4) *Qui était l'homme ou la femme qui portait l'uniforme des Wagons-Lits ?*

5) *Pourquoi les aiguilles de la montre de Ratchett étaient-elles arrêtées sur 1 h 15 ?*

6) *Le meurtre a-t-il été commis à cette heure-là ?*

7) *A-t-il été commis plus tôt ?*

8) *A-t-il été commis plus tard ?*

9) *Peut-on affirmer que Ratchett a été poignardé par plus d'une personne ?*

10) *Y a-t-il une autre explication de la différence entre les blessures ?*

« Eh bien, voyons un peu ce dont nous sommes capables ! s'écria M. Bouc, tout réjoui de cette façon de rationaliser l'énigme. Commençons par le problème du mouchoir. Soyons, je vous en prie, précis et méthodiques.

— Cela va de soi », dit Poirot, qui se frottait les mains de satisfaction.

M. Bouc poursuivit, d'un ton quelque peu pédant :

« L'initiale H peut s'appliquer à trois personnes : Mrs Hubbard, miss Debenham, dont le deuxième prénom est Hermione, et Hildegarde Schmidt, la femme de chambre.

— Bon... Et des trois, laquelle ?

— C'est difficile à dire. Mais, à mon avis, il faut se décider pour miss Debenham. Malgré tout ce que nous croyons savoir, il est bien possible que son deuxième prénom soit son prénom d'usage. En plus, nous avons déjà quelques bonnes raisons de nourrir des soupçons à son égard. Ne seraient-ce, mon cher, que cette étonnante conversation que vous avez surprise, et son refus de s'expliquer là-dessus.

— Moi, je pencherais plutôt pour l'Américaine,

expliqua le Dr Constantine. Il s'agit d'un mouchoir de luxe et les Américains, tout le monde le sait, ne regardent pas à la dépense.

— Ainsi, vous écartez tous les deux la femme de chambre ? demanda Poirot.

— Oui. Elle l'a dit elle-même. Un mouchoir pareil ne peut appartenir qu'à une femme de la bonne société.

— Venons-en à la deuxième question, celle du nettoie-pipe. Est-ce le colonel qui l'a laissé là, ou bien quelqu'un d'autre ?

— Là, c'est plus difficile. Le poignard n'est pas l'arme de prédilection des Anglais. Je crois que vous avez raison. J'ai tendance à penser que c'est quelqu'un d'autre qui a laissé ce nettoie-pipe sur les lieux du crime, pour faire porter les soupçons sur ce grand flandrin[1] d'Anglais.

— Comme vous le disiez, monsieur Poirot, intervint le médecin, laisser *deux* indices aussi compromettants, c'est vraiment trop. Je partage l'avis de M. Bouc. Le mouchoir constitue un indice véritable... Et c'est pourquoi personne n'en veut reconnaître la propriété. Mais le nettoie-pipe n'est là que pour ouvrir une fausse piste. Comme pour confirmer cette hypothèse, vous remarquerez que le colonel a admis sans ambages être fumeur de pipe et utiliser justement cette marque de nettoie-pipes.

---

1. Homme à l'allure gauche.

— C'est bien raisonné, reconnut Poirot.

— Question numéro 3. Qui avait revêtu le kimono écarlate ? continua M. Bouc. Je dois avouer que je donne ma langue au chat. Avez-vous quelque lumière sur ce point, docteur Constantine ?

— Pas la moindre.

— Reconnaissons que, pour cette question, nous sommes à quia[1]. Mais la suivante offre un vaste champ à nos réflexions : qui était l'homme ou la femme qui portait l'uniforme des Wagons-Lits ? Ce que l'on peut avancer avec certitude, me semble-t-il, c'est *qui ne le portait pas.* Hardman, le colonel Arbuthnot, Foscarelli, le comte Andrenyi et Hector MacQueen sont tous trop grands. Mrs Hubbard, Hildegarde Schmidt et Greta Ohlsson sont trop corpulentes. Cela ne nous laisse guère que le valet de chambre, miss Debenham, la princesse Dragomirov et la comtesse Andrenyi... Et aucune de ces personnes ne me semble concernée. Greta Ohlsson et Antonio Foscarelli nous ont solennellement assuré, chacun de leur côté, que ni miss Debenham ni le valet de chambre n'avaient quitté leur compartiment. Hildegarde Schmidt nous a juré ses grands dieux que la princesse n'avait pas bougé du sien, et le comte Andrenyi a affirmé que sa femme avait pris un somnifère. Par conséquent, il est impossible que le porteur de l'uniforme des Wagons-Lits soit qui que ce soit... Ce qui est absurde !

1. Nous sommes dans l'impossibilité de répondre.

— Comme le disait déjà notre vieil ami Euclide[1]..., murmura Poirot.

— Mais il ne peut s'agir que de l'une de ces quatre personnes, fit valoir le médecin. Sauf si nous admettons que nous avons affaire à quelqu'un de l'extérieur qui est parvenu à se cacher... Et cela, nous en sommes tous d'accord, n'est pas concevable. »

M. Bouc passa à la question suivante :

« Numéro 5. Pourquoi les aiguilles de la montre de Ratchett sont-elles bloquées sur 1 h 15 ? En ce qui me concerne, je vois deux explications possibles. Dans un premier cas, c'est le meurtrier lui-même qui avait maquillé les indices pour se forger un alibi. Mais il n'a pas pu quitter le compartiment au moment qu'il avait choisi, parce qu'il en a été empêché par tous les gens qui se trouvaient dans les environs, et qu'il a entendus. Dans le deuxième cas... Attendez une seconde... Il me vient une idée... »

Poirot et le Dr Constantine attendirent avec patience que M. Bouc en eut terminé avec son processus intellectuel.

« J'y suis, dit-il enfin. Ce *n'est pas* l'homme en uniforme des Wagons-Lits qui a touché aux aiguilles. C'est celui que nous avions appelé le Second Meurtrier... Le gaucher... En d'autres termes, la femme en kimono écarlate. Elle est arrivée après, et elle a changé

1. Grand mathématicien grec de l'Antiquité.

l'heure indiquée par la montre pour se donner – à elle – un alibi.

— Bravo ! s'exclama le Dr Constantine. Voilà qui est bien trouvé !...

— Donc, en fait, résuma Poirot, elle a poignardé Ratchett dans l'obscurité, sans se rendre compte qu'il était déjà mort. Mais elle est tout de même parvenue à déceler qu'il portait sa montre dans la poche de son pyjama. Elle l'a prise, elle a changé l'heure à l'aveuglette. Et, par-dessus le marché, elle a réussi à esquinter la montre de manière convaincante...

— Vous avez mieux à nous proposer ? demanda M. Bouc, d'un ton glacial.

— Pour le moment, non, reconnut Poirot. Mais j'ai le sentiment qu'aucun de vous deux n'a compris ce qui est vraiment important en ce qui concerne cette montre.

— Voulez-vous que nous passions à la question numéro 6 ? intervint le Dr Constantine. À cette question : "Le meurtre a-t-il été commis à 1 h 15 ?", je vous préviens tout de suite que je réponds : *non*.

— C'est aussi mon avis, ajouta M. Bouc. La question suivante porte sur le fait de savoir si c'était plus tôt, et là, je réponds : *oui*. Vous aussi, docteur ? »

Le médecin acquiesça de la tête.

« Oui, mais il est aussi possible de répondre par l'affirmative à la question qui vient après : "Le meurtre a-t-il été commis plus tard ?" Je suis d'accord avec votre hypothèse, monsieur Bouc, et je pense que

M. Poirot, qui refuse de s'engager sur ce point, est d'accord lui aussi. Le Premier Assassin est entré dans le compartiment de Ratchett avant 1 heure et quart, alors que le Second Meurtrier n'est arrivé *qu'après* 1 heure et quart. Il nous reste évidemment à établir qui, parmi les passagers, est gaucher.

— C'est là un point que je n'ai pas perdu de vue, souligna Poirot. Vous avez remarqué, j'imagine, que j'ai demandé à chacun de signer, ou d'écrire son adresse. Mais ce n'est pas déterminant, parce qu'il existe des gens qui font certains gestes de la main droite, et d'autres de la main gauche. On voit, par exemple, des droitiers jouer au golf comme des gauchers. Et, cependant, il y a là une idée. Tous ceux que j'ai interrogés ont écrit de la main droite... Sauf la princesse Dragomirov, qui a refusé d'écrire elle-même.

— La princesse Dragomirov ?... Cela ne tient pas debout ! affirma M. Bouc.

— Je doute fort qu'elle ait pu avoir assez de force pour causer la blessure de gaucher que nous avons vue, ajouta le Dr Constantine. Cette blessure-là a demandé une force considérable.

— Davantage que la force d'une femme ?

— Non, je n'irais pas jusque-là. Mais, à coup sûr, plus de force que n'en a une femme âgée. Et je vous rappelle que la princesse Dragomirov n'a plus que la peau sur les os.

— Ne négligez pas les facteurs psychologiques ni le fantastique pouvoir moteur du cerveau, souligna

Poirot. La princesse Dragomirov est une femme de tête et je ne me risquerais pas à mesurer la puissance de sa volonté. Mais laissons cela pour l'instant...

— Il nous reste les questions 9 et 10, dit le Dr Constantine. Sommes-nous assurés que Ratchett a été frappé par plus d'une personne, et comment pouvons-nous expliquer les différences entre les blessures ? Du point de vue médical, je ne vois pas d'autre explication. On ne peut pas imaginer qu'un homme ait d'abord frappé doucement, puis avec violence... Qu'il se soit d'abord servi de sa main droite, puis, après, de sa main gauche... Et qu'il ait laissé un intervalle de... je ne sais pas... une heure peut-être... entre les premiers et les derniers coups... portés, entre parenthèses, sur un cadavre !... Tout cela n'a pas de sens !...

— Non, répondit Poirot, tout cela n'a aucun sens. Mais vous trouvez plus sensée l'hypothèse des deux meurtriers ?...

— Et alors, quelle autre explication voyez-vous vous-même ? »

Poirot regardait droit devant lui.

« C'est bien la question que je me pose..., dit-il. C'est la question que je n'ai cessé de me poser. »

Il s'étira sur son siège.

« Maintenant, tout va se passer là-dedans, annonça-t-il en se frappant le front de l'index. Nous avons abordé tous les points difficiles. Nous connaissons les faits, et nous les avons mis en ordre. Tous les passagers sont venus ici, un par un, pour nous fournir leur témoignage. Nous savons tout ce qu'il est humainement possible de savoir... *pour qui n'est pas dans le coup...* »

Il eut pour M. Bouc un sourire amical.

« Vous souvenez-vous de notre plaisanterie d'étudiants ?... Quand nous disions qu'il nous suffisait de nous abstraire et d'*imaginer* la vérité ?... Eh bien, je m'en vais, sous vos yeux, passer de la théorie à la pratique. Je vais prendre du recul. Mais, vous aussi, tous les deux, faites-en autant. Fermons les yeux et *réfléchissons...*

— Ratchett a été tué par l'un des passagers, ou par plusieurs d'entre eux. *Lequel, ou lesquels ?* »

3

Quelques sujets de réflexion

Les trois hommes gardèrent le silence pendant un bon quart d'heure.

M. Bouc et le Dr Constantine, au début, s'étaient efforcés de se conformer aux instructions de Poirot. Ils avaient essayé de discerner une solution claire et nette à travers un brouillard d'éléments contradictoires.

« Je dois encore réfléchir, c'est bien vrai, avait pensé M. Bouc. Mais, enfin, en ce qui me concerne, j'ai déjà réfléchi... Poirot croit manifestement que cette Anglaise est mêlée à l'affaire. Mais ça me paraît tout à fait invraisemblable... Tous ces Anglais sont froids comme des glaçons. C'est sans doute parce qu'ils n'ont aucune imagination... Mais là n'est pas le problème... Quel dommage que l'Italien semble être hors de cause ! Je crois que le valet de chambre ne ment pas quand il affirme qu'il n'a pas quitté le compartiment... Mais pourquoi mentirait-il ? Ce n'est pas facile de corrompre un Anglais. Ces gens-là sont beaucoup trop orgueilleux... Toute cette histoire est bien embêtante. Je donnerais cher pour que nous en soyons sortis. Sans aucun doute, ils nous ont déjà envoyé un convoi de secours. Mais les gens sont lents à réagir, dans tous ces pays... Il peut se passer des heures avant que quelqu'un pense à faire quelque chose. Et ne parlons pas de leur police... Ça ne va pas être drôle de se débrouiller avec eux... Ils vont arriver en faisant les importants, ils seront sur leurs gardes, et très susceptibles... Ils vont faire un foin terrible... Mais il faut les comprendre. Ils n'ont pas souvent une histoire de ce genre à se mettre sous la dent. Et ça sera dans tous les journaux... »

Et ainsi de suite. M. Bouc pensait et repensait à des sujets qu'il avait déjà abordés des centaines de fois dans sa tête.

Les réflexions du Dr Constantine suivaient un cours nettement plus futile :

« Il est vraiment bizarre, ce petit bonhomme. C'est un génie ? Ou un cinglé ? Est-ce qu'il va trouver la clef de l'énigme ? Impossible. Je ne vois pas comment il y parviendrait... Impossible de voir clair dans tout ça... Peut-être même que tout le monde ment... Mais ça ne nous avance à rien. S'ils ont tous menti, ça reste aussi embrouillé que s'ils nous ont tous dit la vérité. Et puis je ne comprends rien à ces blessures bizarres... Ce serait plus simple si on lui avait tiré une balle dans la tête. On aurait tout de suite pensé à un tueur agissant sur contrat... Drôle de pays, les États-Unis. Il faudrait que j'y aille... Quand je rentrerai, il faudra que j'en parle avec Démétrios Zagone... Il est déjà allé en Amérique, il est plein d'idées modernes... Je me demande ce que Zia fait en ce moment... Si jamais ma femme découvre que... »

Et le Dr Constantine passa à des sujets de nature franchement plus intime...

Hercule Poirot ne bougeait pas d'un pouce. On aurait même pu croire qu'il s'était endormi.

Et, tout d'un coup, après être resté pendant un quart d'heure aussi figé qu'une statue de cire, on le vit plisser le front. Il poussa un profond soupir. Et il siffla entre ses dents :

« Et, après tout, pourquoi pas ?... Parce que, si c'est ça, ça expliquerait tout... »

Il ouvrit tout grands ses yeux verts, pareils à ceux d'un chat, et demanda d'une voix douce :

« Eh bien, mes amis, j'ai bien réfléchi. Et vous ? »

Perdus tous deux dans leurs pensées, M. Bouc et le Dr Constantine sursautèrent.

« Moi aussi, j'ai réfléchi, annonça M. Bouc, l'air contrit[1]. Mais je n'ai pas pu arriver à quelque conclu-

1. Ennuyé.

sion que ce soit. Découvrir les coupables, c'est votre métier, mon cher ami, pas le mien.

— J'ai, moi aussi, réfléchi très sérieusement, mentit le Dr Constantine, sans rougir au souvenir de la tournure pornographique de certaines de ses pensées. J'ai envisagé bien des hypothèses, mais je n'en ai trouvé aucune qui me paraisse satisfaisante. »

Poirot hocha la tête avec indulgence. Son hochement semblait signifier : « C'est vrai. C'est ce qu'il fallait dire. Je n'en attendais pas moins de votre part. »

Il se redressa sur son siège, bomba le torse, caressa sa moustache, et prit l'attitude d'un orateur prononçant une conférence :

« Mes chers amis, j'ai envisagé tous les faits, et j'ai repassé dans mon esprit tout ce que les passagers nous ont dit dans leurs témoignages... Et je suis parvenu à un résultat, à savoir que j'entrevois maintenant – oh ! de manière encore un peu vague, je vous l'accorde – une explication qui répondrait à toutes les questions que nous nous posons. C'est une explication plus qu'étrange, et je ne suis pas encore sûr qu'elle soit la bonne. Pour m'en assurer, je dois me livrer à quelques petites expériences.

» Je voudrais tout d'abord attirer votre réflexion sur un certain nombre de points qui me paraissent dignes d'attention. Je commencerai par une remarque faite par notre ami M. Bouc, ici même, à l'occasion de notre premier déjeuner dans ce train. Il avait noté que nous étions entourés de gens de toutes classes sociales, de tous âges, et de toutes nationalités. À cette époque de l'année, c'est un fait exceptionnel. Les voitures Athènes-Paris et Bucarest-Paris, par exemple, sont pratiquement vides. Et n'oublions pas qu'un voyageur qui avait retenu sa place a manqué le train. Je crois que c'est un fait significatif. Et puis il y a aussi quelques points mineurs que je juge, eux aussi, significatifs : par exemple, la position de la trousse de toilette de Mrs Hubbard sur la porte de communication de son compartiment, le nom de la mère de Mrs Armstrong, les curieuses méthodes employées par Mr Hardman, sans parler du propos de MacQueen qui a suggéré que c'est Ratchett lui-même qui a brûlé la lettre que nous avons trouvée, du prénom de la princesse Dragomirov, et d'une tache de graisse sur un passeport hongrois. »

M. Bouc et le Dr Constantine fixaient Poirot, ébahis.

« Est-ce que tous ces points vous donnent des idées ? leur demanda Poirot.

— Pas du tout, répondit franchement M. Bouc.

— Et vous, docteur ?

— Je ne comprends pas un mot de ce que vous dites. »

Se raccrochant au seul point concret évoqué par Poirot, M. Bouc fouillait dans la pile de passeports. En grommelant, il prit celui du comte et de la comtesse Andrenyi et l'ouvrit.

« C'est de cela que vous vouliez parler ? De cette tache ?

— Oui. C'est une tache de graisse toute récente. Et vous remarquez à quel endroit elle se trouve ?

— Juste au début des renseignements concernant la comtesse. Au commencement de son prénom, pour être précis. Mais j'avoue que je ne vois toujours pas où vous voulez en venir.

— Je vais aborder les choses sous un autre angle.

Revenons à ce mouchoir qui a été trouvé sur les lieux du crime. Comme nous l'avons établi depuis longtemps, l'initiale H nous amène à trois personnes : Mrs Hubbard, miss Debenham, et à la femme de chambre de la princesse, Hildegarde Schmidt. Et considérons maintenant ce mouchoir d'un autre point de vue. Il s'agit là, mes chers amis, d'un mouchoir de grand prix, d'un *objet de luxe,* brodé à la main, qui vient certainement de Paris. Si nous laissons de côté la question de l'initiale, laquelle des passagères nous paraît susceptible de posséder un mouchoir de ce genre ? Certainement pas Mrs Hubbard, femme très respectable dont on ne peut pas dire qu'elle se caractérise par une élégance extravagante. Pas miss Debenham non plus. Une Anglaise de son genre utilise des mouchoirs fins, mais certainement pas ce genre de batiste arachnéenne[1] qui doit coûter au moins deux cents francs. Et certainement pas non plus la femme de chambre. Mais il se trouve à bord de ce train *deux* femmes qui pourraient bien posséder un tel mouchoir. Et voyons un peu si l'initiale H pourrait être la leur. Je fais allusion à la princesse Dragomirov...

— Dont le prénom est Natalia, ricana M. Bouc.

— C'est cela. Et son prénom, je vous le disais tout à l'heure, me donne des idées. L'autre femme dont je parle est la comtesse Andrenyi. Et, instantanément, nous sommes frappés par...

1. Au tissage fin comme celui d'une toile d'araignée.

— Vous êtes frappé !...

— Je suis frappé, si vous voulez... Oui, sur le passeport, son prénom a reçu une tache de graisse. Pur accident, me direz-vous. Mais étudions ce prénom, Elena. Et supposons qu'au lieu d'Elena, ce soit Helena... Il ne serait pas très difficile de maquiller la majuscule H en E, en effaçant au passage le *e* minuscule qui suit, et de dissimuler toute l'opération sous une tache de graisse tout à fait opportune.

— Helena ! s'écria M. Bouc. Ça, c'est une idée !

— Je pense bien que c'est une idée !... J'ai cherché une confirmation, même ténue, de cette idée... Et je l'ai trouvée !... Sur l'une des valises de la comtesse, il y avait une étiquette encore humide. Il se trouve, comme par hasard, que cette étiquette couvrait une partie des initiales gravées sur le couvercle de cette valise... J'en conclus que cette étiquette avait été collée à un autre endroit, qu'on l'a mouillée pour la décoller et qu'on l'a mise là où elle est maintenant.

— Vous commencez à me convaincre, admit M. Bouc. Mais, tout de même, la comtesse Andrenyi...

— Et maintenant, mon tout bon, nous allons changer complètement notre manière d'envisager le problème. La question est : comment cet assassinat devait-il se présenter aux yeux de tout un chacun ? N'oublions pas que la neige a bouleversé le plan primitif du meurtrier. Imaginons une seconde que le train n'ait pas été bloqué par la neige et avance normalement. Que va-t-il se passer ?

» Eh bien, disons que le crime aurait été très probablement découvert tôt ce matin, au passage de la frontière italienne. L'essentiel des témoignages qui nous ont été fournis auraient été donnés à la police italienne. Mr MacQueen aurait montré aux policiers les lettres de menace, Mr Hardman leur aurait raconté sa petite histoire, Mrs Hubbard n'aurait été que trop heureuse d'expliquer qu'un homme était passé par son compartiment, et on aurait ramassé le bouton d'uniforme. Mais je pense que deux éléments auraient été différents. Mrs Hubbard aurait dit que l'homme avait traversé son compartiment juste avant 1 heure du matin... Et l'uniforme de conducteur des Wagons-Lits aurait été trouvé roulé en boule dans les toilettes.

— Que nous chantez-vous là ?

— Je vous chante que *ce crime a été manigancé pour paraître avoir été commis par quelqu'un venu de l'extérieur* ! On aurait supposé que l'assassin était descendu du train en gare de Brod où nous aurions dû arriver à 0 h 58. Quelqu'un aurait témoigné d'avoir vu passer dans le couloir un conducteur des Wagons-Lits d'allure suspecte. L'uniforme aurait été dissimulé à un endroit tellement évident que chacun aurait compris comment les choses se seraient passées. Personne n'aurait soupçonné les passagers. Mes amis, voilà comment toute cette affaire avait été montée.

» Mais ce qui est arrivé à notre train change tout. Nous avons là l'explication du fait que notre bonhomme est resté pendant si longtemps dans le compartiment de la victime. Il attendait que le train reparte. Il a fini par comprendre *que le train était arrêté pour de bon.* Il lui fallait changer ses batteries. Car, maintenant, *on aurait la certitude* que le meurtrier se trouvait encore à bord du train.

— Bon... bon..., dit M. Bouc, impatient. Je comprends tout ça. Mais qu'est-ce que le mouchoir vient faire là-dedans ?

— J'y reviens, par un chemin un peu détourné. Pour commencer, il vous faut comprendre que les lettres de menace que nous avons vues ne sont qu'un faux-semblant. Elles peuvent avoir été copiées mot pour mot d'un roman policier américain quelconque. Elles ne sont pas *réelles.* En fait, elles ont été écrites pour le seul bénéfice de la police. La question que nous devons nous poser est : "Ces lettres ont-elles abusé Ratchett ?" À première vue, la réponse semble devoir être "Non". Les instructions qu'il a données à Hardman désignaient un "ennemi" personnel très précis, dont il connaissait parfaitement l'identité. Au moins si nous en croyons le témoignage de Hardman. Mais il est établi que Ratchett a bien reçu *une* lettre, très différente, celle-là... Une lettre qui faisait clairement allusion à l'affaire Armstrong, et dont nous avons trouvé un fragment dans son compartiment. Si Ratchett n'avait pas encore compris, cette lettre lui expliquait sans fioritures les menaces qui pesaient sur sa vie. Mais cette lettre-là, comme je n'ai pas cessé de le dire, n'était pas destinée, *elle*, à être découverte par la police. Le meurtrier s'est empressé d'essayer de la détruire. C'était le deuxième accroc dans son plan. Car en fait, il y a eu deux accrocs. Le premier, c'est la neige qui bloque le train. Le second, c'est que nous avons pu reconstituer ce fragment de lettre.

» Car cette lettre, si soigneusement détruite, ne peut avoir qu'une seule signification. *C'est qu'il se trouve à bord de ce train quelqu'un de si intimement lié à la famille Armstrong que la découverte de la lettre focaliserait immédiatement les soupçons sur lui.*

» J'en reviens maintenant aux deux autres indices que nous avons trouvés. Je passe sur le nettoie-pipe. Nous en avons déjà beaucoup parlé. Mais le mouchoir... À vue de nez, il s'agit là d'un indice qui nous conduit à une personne dont le nom ou le prénom commence par H, et qui a été perdu par cette personne de manière involontaire.

— C'est tout à fait ça, approuva le Dr Constantine. Elle s'aperçoit qu'elle a perdu son mouchoir et, aussitôt, elle fait ce qu'il faut pour cacher son vrai prénom.

— Comme vous allez vite en besogne !... Vous tirez vos conclusions bien plus tôt que je ne me permettrais de le faire.

— Vous voyez une alternative ?

— Bien sûr. Imaginez, par exemple, que vous êtes l'auteur du crime et que vous voulez que les soupçons se portent sur quelqu'un d'autre. Il se trouve à bord du train une certaine personne, une femme, intimement liée à la famille Armstrong. Imaginez ensuite que vous abandonniez sur les lieux du crime un mouchoir appartenant à cette femme. Elle va être interrogée. On établira ses liens avec la famille Armstrong... *Et le tour est joué !* On tient à la fois un mobile et un indice accusateur.

— Mais si c'est le cas, objecta le Dr Constantine, si la personne incriminée est innocente, pourquoi s'efforce-t-elle de dissimuler son identité ?

— Vraiment ? C'est ce que vous croyez ? C'est ce que croirait aussi la police. Mais, mon cher ami, je connais la nature humaine, et je puis vous dire que, devant la perspective de passer aux assises pour meurtre, le plus innocent des êtres peut perdre la tête et se livrer à toutes sortes d'absurdités. Non, non, ni la tache de graisse, ni cette étiquette qui a été changée de place ne sont une preuve de culpabilité... Elles démontrent seulement que la comtesse Andrenyi veut absolument cacher sa véritable identité.

— Mais quel lien peut-elle bien avoir avec la famille Armstrong ? Elle nous a affirmé qu'elle n'était jamais allée aux États-Unis...

— C'est vrai. Elle parle un assez mauvais anglais, et elle exagère volontairement son côté Europe centrale. Mais je crois qu'il n'est pas très difficile de deviner qui elle est en réalité. Je vous ai parlé, il y a un moment, du nom de la mère de Mrs Armstrong. C'était Linda Arden, une comédienne très célèbre, notamment pour ses interprétations de Shakespeare. Pensez à *Comme il vous plaira*... À la forêt d'Arden et de Rosalind. C'est de là qu'elle avait tiré son pseudonyme, car Linda Arden, le nom sous lequel le monde entier la connaissait, n'était pas son vrai nom. Elle pourrait bien, en réalité, s'être appelée Goldenberg. Ses origines se situaient en Europe centrale, probablement, et je n'exclus pas qu'elle n'ait eu une goutte de sang juif... Aux États-Unis, on trouve des gens aux origines les plus diverses. Je crois pouvoir vous dire, messieurs, que la jeune sœur de Mrs Armstrong, qui n'était encore qu'une enfant au moment du drame, s'appelait Helena Goldenberg, qu'elle était la fille cadette de Linda Arden, et qu'elle a épousé le comte Andrenyi quand il était attaché d'ambassade à Washington.

— Mais la princesse Dragomirov nous a dit qu'elle avait épousé un Anglais ?

— Dont elle a oublié le nom !... Mes chers amis, je vous le demande : est-ce plausible ?... La princesse Dragomirov avait pour Linda Arden l'amitié que les grandes dames ont pour les grandes artistes. Elle était la marraine d'une de ses filles. Et vous croyez vraiment qu'elle aurait pu oublier le nouveau nom de l'autre fille ?... Cela ne tient pas debout !... Non, je pense que nous pouvons être certains que la princesse Dragomirov nous a menti. Elle savait que Helena était dans le train. Elle l'avait vue. Elle a compris tout de suite, dès qu'elle a su qui était réellement Ratchett, que Helena risquait d'être soupçonnée. C'est pourquoi, quand nous l'avons interrogée à propos de la sœur de

Mrs Armstrong, elle a menti. Rappelez-vous comme ses propos étaient vagues... Elle disait qu'elle ne se souvenait plus... Qu'elle pensait que Helena avait épousé un Anglais... Ce qui était aussi loin que possible de la vérité. »

L'un des serveurs du wagon-restaurant entra et s'approcha de M. Bouc.

« Monsieur le directeur, c'est l'heure du dîner. Pouvons-nous le servir ? »

M. Bouc lança un coup d'œil à Poirot, qui acquiesça de la tête.

« Oui, oui. Faites servir le dîner. »

Le serveur quitta le wagon-restaurant, et l'on entendit bientôt la sonnette traditionnelle, tandis que sa voix annonçait :

« *Premier service. Le dîner est servi. Premier service...* »

4

Une tache de graisse sur un passeport hongrois

Poirot partageait sa table avec M. Bouc et le Dr Constantine.

Dans le wagon-restaurant, tout le monde semblait très démoralisé. La volubile Mrs Hubbard elle-même se montrait étrangement taciturne. Elle avait murmuré, avant de s'asseoir :

« Je ne crois pas que je pourrai avaler la moindre bouchée. »

Sur quoi, elle s'était servie de tout ce qui lui était présenté, vivement encouragée par Greta Ohlsson qui s'était instituée sa garde-malade.

Avant que le service ne commence, Poirot avait pris le maître d'hôtel par le bras et lui avait glissé quelques mots à l'oreille. Le Dr Constantine croyait savoir ce dont il s'agissait, car il avait remarqué que le comte et la comtesse Andrenyi étaient toujours servis les derniers. À la fin du repas, ils avaient dû attendre leur addition un bon moment. C'est pourquoi ils se trouvaient maintenant seuls avec Poirot et ses deux compagnons.

À l'instant où ils se levaient pour se diriger vers la porte, Poirot quitta sa table et se précipita vers eux.

« Excusez-moi, madame la comtesse, dit-il en lui tendant le petit carré de batiste monogrammé[1], vous venez de perdre votre mouchoir. »

Elle le prit, le regarda un instant, puis le lui rendit.

« Vous vous trompez, monsieur. Ce mouchoir n'est pas à moi.

— Pas à vous ? Vous êtes sûre ?

— Sûre et certaine, monsieur.

— Et pourtant, madame, il est marqué à votre chiffre, un H. »

Le comte Andrenyi s'agita. Poirot n'y prêta aucune attention. Il fixait la comtesse droit dans les yeux.

« Je ne comprends pas, monsieur, répondit-elle en lui rendant son regard. Mes initiales sont E.A.

— Je ne crois pas, madame la comtesse. Votre prénom est Helena, avec un H, pas Elena. Vous êtes Helena Goldenberg, la fille cadette de Linda Arden...

---

1. Qui porte un monogramme, c'est-à-dire l'initiale d'une personne.

Helena Goldenberg, la jeune sœur de Mrs Armstrong... »

Il y eut un silence de mort. Le comte et la comtesse avaient blêmi. Poirot reprit, d'un ton plus aimable :

« Il ne servirait à rien de nier. C'est bien la vérité, n'est-ce pas ?... »

Le comte Andrenyi éclata :

« Monsieur !... Vous n'avez pas le droit... »

Mais la comtesse l'interrompit, lui posant tendrement la main sur les lèvres :

« Non, Rudolph. Laissez-moi parler. Il est inutile de contredire ce que dit monsieur. Nous ferions mieux de nous asseoir et d'aller au fond des choses. »

La voix de la comtesse s'était transformée. Elle

conservait la richesse méridionale de ses nuances, mais tout sonnait maintenant avec plus de clarté et de netteté. Pour la première fois, on découvrait un authentique accent américain.

Le comte se taisait. Il s'assit sans protester quand Poirot leur fit signe à tous deux de prendre place en face de lui.

« Ce que vous dites est parfaitement exact, commença la comtesse. Je suis bien Helena Goldenberg, la sœur cadette de Mrs Armstrong.

— Vous ne me l'aviez pas dit ce matin, madame la comtesse.

— Non.

— En fait, ce que votre mari et vous-même m'avez débité n'était qu'un tissu de mensonges.

— Monsieur, je ne vous permets pas !... s'insurgea le comte.

— Ne vous fâchez pas, Rudolph. M. Poirot dit les choses sans prendre de gants, mais il n'a pas tort.

— Je suis heureux, madame la comtesse, que vous reconnaissiez les faits aussi facilement. Mais j'aimerais bien que vous me disiez le motif de vos mensonges, comme ce qui vous a poussée à maquiller votre prénom sur votre passeport.

— J'en suis seul responsable, trancha le comte.

— Je suis certaine, monsieur Poirot, que vous comprenez mes motifs... Nos motifs, reprit doucement la comtesse. L'homme qui a été tué était l'assassin de ma nièce. Il a provoqué la mort de ma sœur. Il a poussé mon beau-frère au désespoir. Trois des personnes que j'aimais le plus au monde. Qui étaient mon monde à moi... »

Elle vibrait de passion contenue. On comprenait sans peine qu'elle était la fille d'une mère qui avait su émouvoir aux larmes son public.

« Parmi tous ceux qui se trouvent dans ce train, continua-t-elle plus calmement, je suis sans doute la seule qui ait eu une vraie raison de le tuer.

— Mais vous ne l'avez pas tué ?

— Je vous en donne ma parole, monsieur Poirot, et mon mari pourra le jurer aussi... Si grande qu'ait pu être la tentation, je n'ai jamais levé ne serait-ce que le petit doigt contre cet individu.

— Moi aussi, messieurs, intervint le comte. Je vous donne ma parole d'honneur que Helena n'a pas quitté notre compartiment la nuit dernière. Elle avait pris un somnifère, comme je vous l'ai dit. Elle est innocente, un point, c'est tout. »

Poirot les regardait tous deux.

« Ma parole d'honneur, répéta le comte.

— Et pourtant, dit Poirot en hochant la tête, vous avez pris sur vous de maquiller le passeport ?

— Monsieur Poirot, répondit le comte d'une voix à la fois froide et passionnée, je vous prie de considérer ma situation. Pensez-vous que je puisse tolérer de voir mon épouse mêlée à une affaire aussi sordide ?... Elle est innocente. Moi, je le sais. Mais ce qu'elle vous a dit est vrai : à cause de ses liens avec la famille Armstrong, elle aurait été tout de suite le suspect numéro un. On l'aurait interrogée... Arrêtée, peut-être. C'est ce qui se serait passé, j'en suis sûr, puisque le mauvais sort nous avait amenés à nous trouver dans le même train que cet immonde Ratchett. J'admets, monsieur, que je vous ai menti... Sauf sur un point : mon épouse, cette nuit, n'a pas quitté son compartiment. »

Il s'exprimait avec un sérieux qu'on ne pouvait négliger.

« Je ne dirai pas, monsieur le comte, que je ne vous crois pas. Je vous sais de noble et ancien lignage. Il vous serait bien évidemment odieux que votre femme soit mêlée à une affaire des plus déplaisantes. Tout cela, croyez-moi, je le comprends. Mais voulez-vous me dire, je vous prie, comment vous expliquez la présence d'un mouchoir de votre épouse dans le compartiment de l'homme qui a été tué ?

— Ce mouchoir n'est pas à moi, intervint la comtesse.

— Il est pourtant marqué H.

— C'est comme cela. Je reconnais que j'ai des mouchoirs qui ressemblent à celui-là, mais ils ne sont pas exactement pareils. Je sais bien que je ne peux pas espérer que vous allez me croire, mais je vous assure que ce mouchoir n'est pas à moi.

— Quelqu'un peut l'avoir laissé sur les lieux du crime pour diriger les soupçons sur vous.

— Vous êtes en train d'essayer de me faire avouer que, tout bien considéré, ce mouchoir m'appartient, n'est-ce pas ? sourit la comtesse. Mais ce n'est vraiment pas le cas, monsieur Poirot. »

Elle mettait dans son ton toute la sincérité du monde.

« Eh bien, si ce mouchoir n'est pas à vous, pourquoi avez-vous maquillé votre nom sur votre passeport ?

— Parce que nous avions appris qu'on avait découvert ce mouchoir, avec ce H, répondit le comte. Nous en avons parlé ensemble, avant que vous ne nous interrogiez. J'ai dit à Helena que, si on voyait que son prénom commençait par un H, l'interrogatoire risquait d'être bien plus serré. Et puis ce n'était pas difficile à faire... Changer Helena en Elena ne nous a pas causé de difficulté.

— Monsieur le comte, remarqua sèchement Poirot, vous avez toutes les caractéristiques d'un grand criminel. Beaucoup d'ingéniosité naturelle, et, apparemment, aucun scrupule à tromper la justice.

— Non, non !... s'écria la jeune femme, passant du français à l'anglais. Il vous a tout expliqué, monsieur Poirot. J'avais peur. J'étais morte de peur, vous comprenez... Cette histoire... Cela a été tellement affreux... Je ne voulais pas que ça recommence. Et, en plus, être considérée comme suspecte et, si ça se trouve, jetée en prison... J'avais tout bonnement une frousse bleue, monsieur Poirot. Vous pouvez comprendre ça ? »

Elle possédait une voix superbe, profonde, modulée, séduisante... Une voix que seule la fille de Linda Arden, la grande tragédienne, pouvait posséder.

Poirot la fixa avec beaucoup de gravité.

« Si vous voulez m'amener à vous croire, madame la comtesse – et je ne dis pas que je ne vous croirai pas –, alors, il faut m'aider.

— Vous aider ?...

— Oui. Il faut rechercher le mobile de ce meurtre dans le passé... Dans ce drame qui a brisé votre famille et qui a endeuillé votre enfance... Emmenez-moi dans ce passé, madame la comtesse, pour que je puisse trouver le fil d'Ariane qui me permettra de comprendre toute cette histoire.

— Que pourrais-je bien vous dire ?... Ils sont tous morts... morts... morts... Robert... Sonia... Et ce trésor de Daisy... Elle était si adorable... si gaie... Je me souviens de ses petites boucles... Nous en étions tous fous...

— Et il y a eu aussi une autre victime, madame la comtesse. Une victime indirecte, si je puis dire...

— Cette pauvre Suzanne ? Oui, c'est vrai, je l'avais oubliée... La police l'avait interrogée. Les policiers étaient convaincus qu'elle était – selon leurs propres termes – "mouillée dans l'affaire". Peut-être avaient-ils raison ?... Mais, si elle avait fait une bêtise, c'était en toute innocence. Il semble qu'elle avait trop parlé à quelqu'un avec qui il aurait mieux valu se taire... Qu'elle avait raconté où elle emmenait Daisy, et quand... La pauvre fille a pris tout cela terriblement à cœur... Elle croyait qu'on allait la tenir pour responsable... Elle s'est jetée par la fenêtre... Mon Dieu, que c'était affreux ! » conclut la comtesse en frissonnant.

Elle enfouit son visage dans ses mains.

« De quelle nationalité était-elle, madame la comtesse ?

— Elle était française.

— Et son nom de famille ?

— C'est idiot. Je n'arrive pas à m'en souvenir. Mais tout le monde l'appelait Suzanne. Une jolie fille, très souriante... Elle adorait Daisy.

— C'était la bonne d'enfants, n'est-ce pas ?

— Oui.

— Et la nurse ? C'était qui ?

— Une infirmière diplômée. Je crois qu'elle s'appelait Stengelberg. Elle adorait Daisy, elle aussi... Ainsi que ma sœur...

— Maintenant, madame la comtesse, je voudrais que vous réfléchissiez bien avant de répondre à la question que je vais vous poser. Depuis que vous êtes montée dans ce train, avez-vous reconnu l'une de vos connaissances ?

— Moi ? Non, pas du tout, dit-elle sans quitter Poirot du regard.

— Même pas la princesse Dragomirov ?

— Elle ? Ah si ! bien sûr, je l'ai reconnue. Je pensais que vous vouliez parler de quelqu'un... de quelqu'un de cette époque...

— C'était le cas, madame la comtesse. Mais, maintenant, réfléchissez profondément. Bien des années ont passé, il ne faut pas l'oublier. La personne en question peut avoir beaucoup changé...

— Non... j'en suis sûre... il n'y a personne..., souffla la comtesse après une longue réflexion.

— Vous-même, au moment du drame, vous n'étiez encore qu'une petite fille... Il n'y avait personne pour surveiller vos devoirs... ou pour s'occuper de vous ?

— Oh, si !... J'avais un dragon !... Une bonne femme qui était à la fois ma gouvernante et la secrétaire de Sonia... Une Anglaise... Enfin, une Écossaise, plutôt... Une grande bringue, avec des cheveux roux.

— Comment s'appelait-elle ?

— Miss Freebody.

— Jeune, ou âgée ?

— Je la trouvais très vieille. Mais je pense qu'elle n'avait pas plus de quarante ans. Naturellement, c'était Suzanne qui s'occupait de mes vêtements et qui me donnait mon bain.

— Et qui y avait-il encore d'autre dans la maison ?

— Seulement des domestiques.

— Et vous êtes sûre, madame la comtesse, bien sûre, que vous n'avez reconnu personne dans ce train ?

— Personne, monsieur. Absolument personne », répondit gravement la comtesse Andrenyi.

5

Le prénom de la princesse Dragomirov

Le comte et la comtesse quittèrent le wagon-restaurant. Poirot regarda ses deux compagnons avec satisfaction.

« Vous voyez. Nous avançons.

— C'est du beau travail, reconnut M. Bouc. Je dois avouer qu'en ce qui me concerne, je n'aurais jamais pensé une seule seconde à soupçonner le comte et la comtesse Andrenyi. J'étais persuadé, je l'admets, qu'ils étaient tous les deux hors de cause. J'imagine que vous êtes certain que c'est elle l'assassin... C'est bien triste... Mais on ne va pas la guillotiner. Elle a une foule de circonstances atténuantes. Elle tirera quelques années de prison... Et ça n'ira pas plus loin.

— Vous croyez vraiment qu'elle est coupable ?

— Mon cher ami, je ne vois pas comment on pourrait en douter. J'avais le sentiment que la manière dont vous l'avez rassurée n'était destinée qu'à l'endormir jusqu'à ce que l'on nous sorte de toute cette neige et que la police prenne l'enquête en charge.

— Vous ne croyez pas à ce que nous a affirmé le comte ? Quand il nous a donné sa parole d'honneur que sa femme était innocente ?

— Mais enfin, mon très cher, c'était bien la moindre des choses !... Que vouliez-vous qu'il dise d'autre ?... Il adore sa femme. Il veut la sauver... Il ment comme un arracheur de dents, mais avec beaucoup de classe... Car il n'a pas arrêté de mentir...

— Moi, voyez-vous, mon bon ami, j'ai le sentiment – peut-être un peu inconsidéré – qu'il nous a, en fait, dit la vérité.

— Pas question !... Rappelez-vous le mouchoir !... Ce mouchoir est un indice irréfutable !...

— Je n'en suis pas si sûr. J'ai dit à plusieurs reprises, vous ne l'avez pas oublié, que nous nous trouvions en face de deux hypothèses sur la véritable propriétaire de ce mouchoir.

— Mais tout de même... »

Les élans de M. Bouc furent coupés net. La porte du wagon-restaurant avait été ouverte, et la princesse Dragomirov faisait son entrée. Elle alla droit aux trois hommes, qui se levèrent avec un bel ensemble.

Elle choisit d'ignorer M. Bouc et le Dr Constantine et de ne s'adresser qu'à Poirot.

« J'ai cru comprendre, monsieur, que vous êtes en possession de l'un de mes mouchoirs ?... »

Poirot, triomphant, fixa ses compagnons.

« S'agit-il de cet objet ? demanda-t-il en sortant de sa poche le fin carré de batiste.

— C'est cela. Avec mon chiffre dans le coin.

— Mais, madame, cette lettre est un H, intervint M. Bouc. Et votre prénom – je vous en demande mille pardons... – est Natalia.

— Précisément, monsieur, répondit la princesse en le regardant froidement. Je fais toujours marquer mes mouchoirs en caractères cyrilliques. Votre H est notre N russe. »

M. Bouc sembla soudain très abattu. Le caractère indomptable de la vieille dame le troublait et le mettait mal à l'aise.

« Quand nous vous avons interrogée, ce matin, vous ne nous avez pas dit que ce mouchoir était à vous.

— Vous ne m'avez pas posé la question, dit la princesse, très sèche.

— Asseyez-vous, madame, je vous prie, reprit Poirot.

— C'est ce que j'ai de mieux à faire, je pense, soupira la princesse en s'asseyant. Il est inutile de traîner en longueur, messieurs. Vous allez me demander comment il se fait qu'un de mes mouchoirs ait pu se trou-

ver à proximité du cadavre d'un homme assassiné... Je vous répondrai que je n'en ai pas la moindre idée.

— Vous n'en avez pas la moindre idée ?

— Pas la moindre, je vous assure.

— Je souhaite, madame, que vous me pardonniez ma brutalité, dit Poirot avec une infinie politesse. Mais quel degré de confiance pouvons-nous accorder à vos dires ?

— Vous faites allusion, je pense, au fait que je ne vous ai pas révélé que Helena Andrenyi était la sœur de Mrs Armstrong, laissa tomber la princesse avec dédain.

— Le fait est que vous nous avez menti effrontément.

— Je le reconnais volontiers. Et je le referais si c'était nécessaire. Sa mère était mon amie. Messieurs, je crois en la valeur de la loyauté... Celle que chacun doit à ses amis, à sa famille et à sa caste[1].

— Vous ne croyez pas que chacun doit faire de son mieux pour servir la justice ?

— Dans le cas présent, je considère que justice – rien que la justice... – a été faite.

— Madame, dit Poirot, attentif, vous comprenez la difficulté que j'affronte. Ne serait-ce qu'en ce qui concerne ce petit mouchoir, puis-je vous croire ? Ou bien essayez-vous de protéger la fille de votre amie ?

— Je vous comprends fort bien, sourit-elle. Mais je

---

1. Groupe de gens très fermé ; ils peuvent être unis par une religion, une appartenance sociale ou une profession commune.

puis aisément faire la preuve de ce que j'avance. Il me suffira de vous donner l'adresse à Paris de la maison à laquelle je confie la confection de mes mouchoirs. Vous n'aurez qu'à leur montrer celui qui vous préoccupe tant, et ils vous diront instantanément qu'ils l'ont brodé sur commande, il y a un peu plus d'un an. Ce mouchoir est bien à moi, messieurs. »

Elle se leva.

« Avez-vous, messieurs, d'autres questions à me poser ?

— Madame, votre femme de chambre n'a pas reconnu votre mouchoir quand nous le lui avons montré ce matin.

— Elle aurait dû. Elle l'a vu et elle n'a rien dit ?... Eh bien, cela prouve seulement qu'elle sait, elle aussi, être loyale. »

Elle les salua sèchement de la tête et sortit.

« C'était donc ça, souffla Poirot. J'avais bien remarqué que sa femme de chambre avait eu comme une hésitation quand nous lui avons demandé si elle savait à qui appartenait ce mouchoir. Elle ne savait pas si elle devait ou non admettre qu'il était à sa maîtresse. Mais, ce qui compte, c'est de vérifier si cela peut coller avec ma petite idée... Oui, au fond, c'est bien possible...

— Ah ! s'écria M. Bouc avec un geste bien caractéristique, elle est terrible, cette vieille dame !...

— Pensez-vous qu'elle pourrait avoir tué Ratchett ? demanda Poirot au Dr Constantine.

— Non, répondit le médecin. Rappelez-vous les

coups qui ont été portés si fortement que la lame a pénétré dans les muscles... Jamais, au grand jamais, quelqu'un d'aussi frêle que la princesse n'aurait pu donner de pareils coups.

— Mais ceux qui n'ont été que des égratignures ?

— Ceux-là, oui.

— Je pense, reprit Poirot, à ce matin, quand je lui ai dit que sa force résidait dans sa volonté et non pas dans ses bras. Je lui tendais là une sorte de piège. Je voulais voir si, instinctivement, elle regarderait son bras droit ou son bras gauche. Elle n'en a rien fait : elle les a regardés tous les deux. Mais elle m'a quand même donné une réponse étonnante. Elle m'a dit : "Vous avez raison, il ne leur reste plus de force. Plus du tout. Je ne sais si je dois m'en réjouir, ou le regretter..." C'est réellement un propos étrange... Qui me confirme dans mes petites idées sur ce crime...

— Mais ça ne nous dit pas si elle est gauchère.

— Non. À propos, avez-vous noté que le comte Andrenyi met son mouchoir dans la poche intérieure droite de son veston ? »

M. Bouc se contenta de hocher la tête. Il n'était pas encore remis du choc causé par les révélations qui lui avaient été assenées au cours de la dernière demi-heure.

« Des mensonges..., murmura-t-il. Encore des mensonges... Je n'en reviens pas, de la quantité de mensonges qu'on nous a débités ce matin !...

— Et nous n'avons pas fini d'en découvrir..., annonça Poirot, très jovial.

— Allons bon ?...

— Je serais très déçu si ce n'était pas le cas.

— Je n'arrive pas à croire à une telle duplicité[1]. Mais vous, vous semblez trouver tout cela très amusant, reprocha M. Bouc à Poirot.

— Oui, cette duplicité a ses avantages... En général, quand vous mettez quelqu'un en face de son mensonge, il reconnaît qu'il a menti... Et souvent, c'est la surprise qui provoque son aveu. Mais il faut, bien entendu, avoir deviné *juste* pour arriver à ce résultat.

» Et, à mon avis, il n'y a pas d'autre façon de conduire cette enquête. Je considère individuellement le cas de chaque passager, j'étudie son témoignage, et je pose la question : “*Si* Untel ment, sur quel point ment-il, et pourquoi ?” Et je réponds que *si* il ment – si, j'insiste –, ce ne peut être que sur tel ou tel point, et pour telle ou telle raison. C'est ce que nous venons de réussir brillamment avec la comtesse Andrenyi. Et nous allons utiliser la même méthode avec quelques autres de nos témoins.

— Et que se passera-t-il, mon cher ami, si vous devinez de travers ?

— Dans ce cas, il y aura au moins une personne qui sera lavée de tout soupçon.

— Ah !... Vous procédez par élimination ?

---

1. Caractère double : une personne qui joue deux rôles, ou dit deux choses différentes selon ses interlocuteurs.

— C'est ça.

— Et de qui allons-nous nous occuper maintenant ?

— Je pense qu'il nous faut revoir notre *pukka sahib*... J'ai nommé le colonel Arbuthnot. »

6

Second entretien avec le colonel Arbuthnot

Le colonel Arbuthnot ne cachait pas son mécontentement d'avoir été convoqué dans le wagon-restaurant pour un deuxième interrogatoire, et il arborait[1] un visage des plus menaçants. Il s'assit sans y avoir été invité, et se borna à demander :

« Eh bien ?

— Je tiens à vous présenter toutes mes excuses pour avoir dû vous déranger pour la seconde fois, lui dit Poirot. Mais il me semble que vous êtes en mesure de nous donner certains renseignements.

— Ah bon ?... Je ne pense pas.

— Pour commencer, vous voyez ce nettoie-pipe ?

1. Présentait.

— Oui.

— Est-ce l'un des vôtres ?

— Sais pas. Je n'ai pas l'habitude d'y mettre ma signature, vous savez !

— Vous rendez-vous compte, mon colonel, que, parmi les passagers de notre wagon-lit, vous êtes le seul à fumer la pipe ?

— Si c'est le cas, alors, c'est sans doute un de mes nettoie-pipes.

— Savez-vous où nous l'avons ramassé ?

— Pas la moindre idée.

— À côté du cadavre. »

Le colonel Arbuthnot fronça les sourcils.

« Pourriez-vous nous dire, mon colonel, comment il est arrivé là ?

— Si vous insinuez que c'est moi qui l'ai laissé tomber à cet endroit, vous vous trompez.

— Êtes-vous entré, à quelque moment que ce soit, dans le compartiment de Mr Ratchett ?

— Je n'ai jamais adressé la parole à ce bonhomme.

— Vous ne lui avez jamais parlé, et vous ne l'avez pas tué ?

— Si j'étais l'assassin, je ne me croirais pas obligé de vous mettre au courant, répliqua le colonel, auquel ses sourcils à nouveau froncés donnaient une apparence des plus sardoniques. Mais je vous rassure : je *n'ai pas* tué cet homme.

— Très bien, grommela Poirot. Ça n'a d'ailleurs pas d'importance.

— Je vous demande pardon ?

— Je disais seulement que cela n'avait pas d'importance.

— Ah..., laissa échapper le colonel, ébahi, fixant sur le détective un regard incertain.

— Vous voyez, continua Poirot, c'est parce que ce nettoie-pipe n'a en lui-même aucune importance. Je suis capable de trouver une bonne douzaine d'explications valables à sa présence chez Mr Ratchett. »

Le colonel Arbuthnot ne quittait pas Poirot des yeux.

« La raison pour laquelle je vous ai fait revenir est tout à fait différente, reprit Poirot. Miss Debenham vous a peut-être dit que j'avais surpris par hasard une conversation entre elle et vous à la gare de Konya ? »

L'officier garda le silence.

« Elle disait, poursuivit le détective : *"Pas maintenant ! Quand tout sera terminé. Quand ce sera enfin derrière nous."* Savez-vous à quoi ses paroles faisaient allusion ?

— Pardonnez-moi, Poirot, mais je refuse de répondre à cette question.

— *Pourquoi ?*

— Je vous suggère de demander à miss Debenham elle-même la signification de cette phrase, répliqua le colonel, très raide.

— C'est déjà fait.

— Et elle n'a pas voulu vous le dire ?

— Non.

— On aurait pu croire qu'il était parfaitement évident... même pour vous... que je ne puisse rien dire.

— Vous n'êtes pas homme à révéler un secret de femme ?

— Vous pouvez envisager les choses de cette façon, si vous voulez.

— Miss Debenham m'a seulement dit qu'elle faisait allusion à quelque chose de tout à fait personnel.

— Alors, pourquoi ne pas la croire ?

— Parce que, mon colonel, miss Debenham vient en tête de ma liste de suspects.

— Vous divaguez ! jeta le colonel, la voix pleine de passion.

— Je ne divague nullement.

— Vous ne pouvez rien retenir contre elle.

— Même pas le fait que miss Debenham était gouvernante des enfants de la famille Armstrong au moment où la petite Daisy Armstrong a été enlevée ?... »

Un silence de mort suivit la question de Poirot.

« Vous voyez, reprit le détective en hochant la tête avec indulgence, nous savons bien plus de choses que vous ne le croyez. Si miss Debenham est innocente, pourquoi nous a-t-elle caché cela ? Pourquoi m'a-t-elle affirmé qu'elle n'était jamais allée aux États-Unis ? »

Le colonel se racla la gorge :

« N'êtes-vous pas en train de commettre une erreur ?

— Je ne me trompe pas. Pourquoi miss Debenham m'a-t-elle menti ?

— C'est à elle qu'il faut le demander, dit le colonel en haussant les épaules. Je persiste à penser que vous vous trompez. »

Poirot appela l'un des serveurs :

« Veuillez demander à la jeune personne anglaise du compartiment numéro 11 si elle nous ferait le plaisir de venir nous rejoindre.

— Bien, monsieur. »

L'employé s'élança. Les quatre hommes restaient silencieux. Comme s'ils avaient été sculptés dans le bois, les traits du colonel Arbuthnot demeuraient rigides et impassibles.

L'attente ne dura que quelques minutes. Mary Debenham arrivait.

7

L'identité de Mary Debenham

Elle ne portait pas de chapeau. Elle rejetait la tête en arrière comme pour un défi. Ses cheveux tirés, qui dégageaient son front, et la courbe de son nez évoquaient la figure de proue de quelque navire plongeant hardiment dans une mer déchaînée. À ce moment précis, elle était belle.

Elle regarda le colonel Arbuthnot pendant un instant. Un court instant. Puis elle s'adressa à Poirot :

« Vous souhaitiez me voir ?

— En effet, mademoiselle, je voulais vous demander pourquoi vous nous avez menti ce matin.

— Menti ?... Je ne vois pas ce que vous voulez dire.

— Vous nous avez caché le fait qu'au moment du

drame, vous viviez dans la famille Armstrong. Et vous m'avez dit que vous n'étiez jamais allée en Amérique. »

Poirot vit Mary Debenham frissonner une seconde, puis se reprendre.

« Oui, dit-elle, c'est vrai.

— Non, mademoiselle, c'était faux.

— Vous m'avez mal comprise. Je vous disais qu'il était vrai que je vous avais menti ce matin.

— Ah ! vous le reconnaissez ?

— Certainement, sourit-elle. Puisque vous m'avez percée à jour.

— Au moins, mademoiselle, vous êtes franche.

— Je ne vois pas très bien comment je pourrais faire autrement.

— C'est bien vrai. Mais puis-je maintenant, mademoiselle, vous demander les raisons de ces dissimulations ?

— J'aurais cru qu'elles sautaient aux yeux, monsieur Poirot.

— Pas à mes yeux à moi, en tout cas.

— Je dois gagner ma vie, dit-elle d'une voix calme et égale, avec peut-être une nuance de dureté.

— Mais encore ? »

Elle le regarda bien en face.

« Monsieur Poirot, que connaissez-vous du combat qu'il faut mener pour trouver et pour garder un emploi convenable ? Pensez-vous qu'une jeune femme qui a été arrêtée dans une affaire de meurtre, dont le nom et peut-être la photographie ont été publiés par les journaux anglais... Vous croyez vraiment qu'il se trouvera une bonne bourgeoise anglaise pour engager cette jeune femme comme gouvernante de ses filles ?

— Pourquoi pas ? Si cette jeune femme n'a rien à se reprocher.

— Oh, rien à se reprocher !... Ce n'est pas de reproche qu'il s'agit, mais de mauvaise publicité. Voyez-vous, monsieur Poirot, jusqu'ici, je n'ai pas trop mal réussi dans la vie. J'ai occupé des fonctions intéressantes et bien payées. Vous n'imaginiez tout de même pas que j'allais mettre ma situation en péril si cela ne servait à rien d'utile.

— Je me permettrai de vous suggérer, mademoiselle, que c'était à moi d'en juger, pas à vous. »

Elle se borna à hausser les épaules.

« Vous auriez pu, par exemple, m'apporter votre concours en ce qui concerne l'identification de certaines personnes.

— À quoi faites-vous allusion ?

— Serait-il croyable, mademoiselle, que vous n'ayez pas reconnu dans la comtesse Andrenyi la jeune sœur de Mrs Armstrong dont vous vous occupiez à New York ?

— La comtesse Andrenyi ? Non, dit-elle. Cela peut vous paraître extravagant, mais je ne l'ai pas reconnue. Quand je l'ai connue, elle n'était encore qu'une enfant. C'était il y a plus de trois ans. C'est vrai, le visage de la comtesse me disait quelque chose... Il m'étonnait...

Mais elle a tellement changé. Je n'ai jamais fait le rapprochement avec la petite écolière américaine d'autrefois. Je dois reconnaître que je ne lui jetais qu'un coup d'œil en passant, au wagon-restaurant. Et j'ai prêté plus d'attention à ses vêtements qu'à ses traits... Les femmes sont comme ça, vous savez !... Et puis... j'avais mes propres soucis.

— Vous ne voulez toujours pas me dire votre petit secret ? demanda Poirot d'une voix douce, presque insinuante.

— Je ne peux pas... je ne peux pas... », souffla-t-elle.

Et, tout d'un coup, sans crier gare, elle s'effondra,

cachant sa tête dans ses mains et pleurant toutes les larmes de son corps.

Le colonel Arbuthnot bondit et se plaça gauchement à côté d'elle.

« Je... Écoutez-moi... »

Il marqua un temps d'arrêt, se retourna, et darda sur Poirot un œil haineux.

« Je casserai un par un les os de votre maudit squelette, sale petit roquet prétentieux, siffla-t-il avec rage.

— Je vous en prie, monsieur ! » protesta M. Bouc.

Arbuthnot se tourna à nouveau vers la jeune femme.

« Mary... Pour l'amour du Ciel... »

Elle se redressa.

« Ce n'est rien. C'est fini. Vous n'avez plus besoin de moi, n'est-ce pas, monsieur Poirot ? Et de toute façon, vous savez où me trouver. Ah, je me suis vraiment conduite comme une idiote !... »

Elle partit en hâte. Le colonel Arbuthnot, avant de la suivre, s'en prit une dernière fois à Poirot :

« Miss Debenham n'a rien à voir dans toute cette histoire !... Rien du tout, c'est bien compris !... Et si vous lui causez le moindre souci ou si vous vous mêlez de ce qui ne vous regarde pas, vous aurez affaire à moi !... »

Il sortit.

« J'adore voir les Anglais en colère, sourit Poirot. Je les trouve tordants. Plus ils sont énervés, moins ils maîtrisent leur langage. »

Mais les réactions émotionnelles des Anglais n'intéressaient pas M. Bouc. Il était submergé d'admiration pour son ami.

« Mon cher, vous êtes épatant ! s'écria-t-il. Encore un de vos miracles de divination. C'est formidable !

— C'est incroyable de voir comment vous parvenez à imaginer tout cela, renchérit le Dr Constantine.

— Oh ! cette fois, je ne demande pas de félicitation. Je n'ai rien deviné. La comtesse Andrenyi m'avait pratiquement tout dit.

— Comment cela ? Enfin voyons ?...

— Vous vous souvenez que je lui ai demandé si elle avait eu une gouvernante. J'avais déjà décidé dans mon esprit que, *si* Mary Debenham avait un rôle dans cette histoire, elle devait avoir eu une fonction de ce genre-là.

— Oui. Mais la comtesse Andrenyi nous a décrit une personne complètement différente de miss Debenham.

— Justement. Elle nous a parlé d'une grande femme d'une quarantaine d'années, rousse... Tellement aux antipodes de Mary Debenham que c'en devenait flagrant. Mais il a fallu qu'elle imagine un nom à toute vitesse, et il y a eu là une association d'idées qui l'a trahie. Elle nous a dit que sa gouvernante s'appelait miss Freebody, vous vous en souvenez ?

— Oui. Et alors ?

— Alors ? Vous pouvez l'ignorer, mais il y a à Londres un magasin qui, jusqu'à une date toute récente, portait l'enseigne de Debenham & Freebody. Le nom de Debenham trottait dans la tête de la comtesse, il fallait qu'elle en trouve un autre sur-le-champ, et c'est Freebody qui lui est venu en premier. Naturellement, j'ai compris tout de suite.

— Voilà un mensonge de plus. Mais pourquoi l'a-t-elle fait ?

— Encore une question de loyauté, probablement. Cela rend les choses un peu plus complexes.

— Bon sang ! éclata M. Bouc, est-ce que tout le monde ment, dans ce train ?...

— C'est, répondit Poirot, ce que nous sommes sur le point de découvrir. »

8

Autres révélations surprenantes

« Maintenant, rien ne me surprendra plus ! s'écria M. Bouc. Rien du tout ! Et je vous garantis que je ne manifesterai pas la moindre surprise s'il s'avère que tous les passagers ont un lien avec la famille Armstrong !

— Vous venez de faire là une remarque profonde, répondit Poirot. Voulez-vous que nous voyions maintenant ce que votre suspect de prédilection, l'Italien, a à nous raconter ?

— Vous êtes encore en train de jouer à vos fameuses devinettes ?

— Précisément.

— Cette affaire est des plus étranges, remarqua le Dr Constantine.

— Mais non. Tout cela est naturel. »

M. Bouc leva les bras au ciel en signe de désespoir feint.

« Si c'est cela que vous appelez naturel, mon tout bon... »

Il ne parvenait plus à trouver ses mots.

Pendant ce temps, Poirot avait demandé à l'un des serveurs d'aller chercher Antonio Foscarelli.

Le gros Italien arriva, circonspect[1]. Il regardait de gauche à droite, et de droite à gauche, comme un animal pris au piège.

« Qu'est-ce que vous me voulez ? demanda-t-il. Je n'ai rien à vous dire... Rien du tout, vous entendez ?... *Per Dia...*[2] »

Il frappa la table du plat de la main.

« Si, trancha Poirot. Vous avez quelque chose de plus à nous dire. La vérité !...

— La vérité ?... »

Il lança à Poirot un regard flou. Son assurance et sa faconde[3] l'avaient abandonné.

« Mais oui. La vérité. Il se peut que je la connaisse déjà. Mais ce serait un bon point pour vous si vous nous la disiez spontanément.

1. Méfiant.
2. « Par le Dia[ble] » (en italien).
3. Le fait de parler beaucoup et avec facilité.

— Vous parlez comme les flics américains. “Avoue”, qu’ils disaient, “avoue”.

— Tiens ? Vous avez eu affaire à la police de New York ?

— Non, non, jamais... Ils ont rien pu prouver contre moi... Mais ce n’est pas faute d’avoir essayé.

— C’était à propos de l’affaire Armstrong, n’est-ce pas ? dit Poirot avec calme. Vous étiez le chauffeur de la maison ? »

Son regard croisa celui de l’Italien qui soupira longuement, avec un bruit de ballon crevé.

« Puisque vous le savez... À quoi ça sert de me le demander ?

— Pourquoi avez-vous menti ce matin ?

— À cause de mes affaires. Puis, en plus, je ne fais pas confiance aux flics yougoslaves. Ils ne peuvent pas blairer les Italiens. Ils ne m’auraient pas fait justice.

— Ils vous auraient peut-être fait justice, justement !...

— Mais non, mais non !... Je n’ai rien à voir dans l’histoire de cette nuit, je n’ai pas quitté mon compartiment. L’Anglais avec son visage long comme un jour sans pain, il pourra vous le dire. C’est pas moi qui ai tué ce porc de Ratchett. Vous ne pouvez rien prouver contre moi. »

Poirot prenait des notes sur une feuille de papier. Il releva la tête et annonça froidement :

« C’est bon. Vous pouvez partir. »

Foscarelli s’attardait, mal à l’aise.

« C'est bien vrai ?... Vous avez compris que je n'ai rien à voir là-dedans ?...

— Je vous ai dit que vous pouviez partir.

— C'est un coup monté. Vous essayez de m'avoir ?... Tout ça pour un salopard qui aurait dû passer sur la chaise électrique !... C'est un scandale qu'il s'en soit tiré. Si ç'avait été moi... Si j'avais été inculpé...

— Mais ce n'était pas vous. Vous n'aviez rien à voir dans l'enlèvement de l'enfant.

— Qu'est-ce que vous racontez ! Bon sang, cette petite, c'était la joie de toute la maison. Tonio, elle m'appelait. Elle s'asseyait dans la voiture, et elle faisait semblant de tenir le volant. Tout le monde l'adorait !... Même les flics ont fini par le comprendre. Ah ! qu'elle était belle, la petite !... »

La voix de l'Italien s'était attendrie, et les larmes lui montaient aux yeux. Il tourna les talons et quitta le wagon-restaurant.

« Pietro ! » appela Poirot.

Le serveur arriva immédiatement.

« Le numéro 10, maintenant. La dame suédoise.

— Bien, monsieur.

— Encore ? s'exclama M. Bouc. Mais non, ce n'est pas possible. Je vous dis que ce n'est pas possible !...

— Très cher, il faut que nous sachions. Et même si, à la fin, il apparaît que tout le monde dans ce train avait un bon mobile pour tuer Ratchett, il faut que nous le sachions. Quand nous saurons tout, nous pourrons facilement trouver le coupable.

— J'ai la tête qui tourne », grogna M. Bouc.

L'employé fit entrer Greta Ohlsson avec beaucoup de prévenance. Elle pleurait à chaudes larmes.

Elle se laissa tomber sur le siège face à Poirot et continua de pleurer dans un grand mouchoir.

« Ne vous mettez pas dans cet état, mademoiselle, ne vous mettez pas dans cet état, lui dit doucement Poirot en lui tapotant l'épaule. Il suffit de me dire la vérité en quelques mots. Et ne vous mettez pas martel en tête si vous ne parvenez pas à assumer l'effroyable accent qui semble parfois vous faire défaut... Vous étiez la nurse de la petite Daisy Armstrong, n'est-ce pas ?

— C'est vrai... c'est vrai..., sanglota-t-elle. Ah ! c'était un ange... Un cher petit ange, tendre et confiant... Elle ne connaissait que l'amour et la gentillesse... Et cet homme horrible nous l'a prise... il lui a fait du mal... Et puis sa pauvre maman... et ce petit bébé qui n'a même pas pu vivre... Vous ne pouvez pas comprendre... Vous ne pouvez pas savoir... Si vous aviez été là, comme moi... Si vous aviez vu toute cette affreuse tragédie... J'aurais dû vous dire la vérité ce matin, mais j'avais peur... très peur... Mais j'étais si heureuse que cet homme épouvantable soit mort... Qu'il ne puisse plus tuer ou torturer des enfants... Ah ! je n'arrive pas à parler... je ne trouve plus de mots... »

Ses pleurs redoublèrent.

Poirot continuait de lui tapoter gentiment l'épaule.

« Allez... Allez... Je comprends tout... Tout, je vous le dis. Je ne vous poserai pas d'autre question. Il me suffit que vous ayez reconnu ce que je savais être la vérité. Je comprends, vous dis-je... »

Étouffée par ses sanglots, Greta Ohlsson se leva et se dirigea à l'aveuglette vers la porte. Au moment où elle l'atteignait, elle se heurta à un homme qui entrait.

C'était Masterman, le valet de chambre.

Il alla droit à Poirot.

« J'espère que je ne dérange pas Monsieur, dit-il de sa voix habituelle, calme et froide. Mais j'ai pensé, monsieur, qu'il valait mieux que je vienne tout de suite et que je dise la vérité. Monsieur, pendant la guerre, j'ai été l'ordonnance du colonel Armstrong et ensuite, à New York, j'ai été son valet de chambre. Je crains bien de ne l'avoir pas dit à Monsieur ce matin. J'ai eu vraiment tort, monsieur, et j'ai pensé que c'était mieux que je vienne et que j'avoue. Mais j'espère que Monsieur ne soupçonne pas le vieux Tonio. Monsieur, le vieux Tonio ne ferait pas de mal à une mouche. Et je peux positivement promettre à Monsieur qu'il n'a jamais quitté notre compartiment cette nuit. Tonio n'est peut-être pas de chez nous, mais c'est quelqu'un de bien... Pas un de ces sales gangsters d'Italiens dont on parle dans les journaux. »

Poirot le regardait fixement.

« C'est tout ce que vous aviez à me dire ?

— C'est tout, monsieur. »

Comme Poirot ne relevait pas, il s'inclina profondément, comme pour s'excuser, puis, après un instant d'hésitation, il sortit du wagon-restaurant sans faire plus de manière qu'à son arrivée.

« Eh bien, ça, dit le Dr Constantine, c'est encore plus invraisemblable que n'importe quel roman policier que j'ai pu lire !...

— Je suis bien d'accord avec vous, renchérit M. Bouc. Sur douze passagers, il a été prouvé que neuf avaient un lien avec l'affaire Armstrong. Et quoi, maintenant, je vous le demande ? Je devrais plutôt dire : et qui, maintenant ?

— Je ne peux vous répondre tout de suite, rétorqua Poirot. Voilà notre fin limier[1] américain, Mr Hardman.

— Il vient à confesse, lui aussi ? »

Avant que Poirot n'ait pu placer un mot, l'Américain était parvenu à leur table. Il leur lança un regard guilleret en s'asseyant et dit d'une voix traînante :

« Qu'est-ce qui se passe au juste dans ce train ? Pour moi, c'est une vraie maison de fous !

— Êtes-vous bien sûr, Mr Hardman, que vous n'étiez pas le jardinier de la famille Armstrong ? demanda Poirot en clignant de l'œil.

— Ils n'avaient pas de jardin, répondit froidement Hardman.

— Alors, vous étiez le maître d'hôtel ?

---

1. Le mot désigne d'abord un chien au flair très sensible. Par la suite, comme ici, il signifie un détective.

— Je ne me tiens pas assez bien pour ça. Non, je n'ai jamais eu aucun rapport avec la famille Armstrong. Mais je commence à croire que je suis bien le seul... Ça vous la coupe, hein, ce que je vous dis ? Ça vous la coupe ?

— Je dois admettre que cela m'étonne un peu, reconnut Poirot mi-figue, mi-raisin.

— C'est tordant, ironisa M. Bouc.

— Mr Hardman, avez-vous vous-même une hypothèse personnelle sur ce crime ? s'enquit Poirot.

— Non, monsieur. J'en reste baba. Je n'arrive pas à voir comment ça se goupille. Ils ne peuvent pas être tous dans le bain. Mais déterminer celui qui est coupable, alors là, ça me dépasse. Mais comment vous vous êtes débrouillé pour arriver à démêler tout ça, je voudrais bien le savoir.

— J'ai fait quelques devinettes.

— Eh bien, croyez-moi, aux devinettes, vous êtes champion. Ouais... Je dirai à tout le monde que vous êtes le champion des devinettes. »

Hardman se laissa aller sur son siège et regarda Poirot avec admiration.

« Et pourtant, vous me pardonnerez de vous le dire : à vous voir, on ne le croirait pas. Je vous tire mon chapeau. Ouais, vraiment.

— Mr Hardman, vous êtes trop aimable.

— Pas du tout. Fallait bien que je vous tire mon chapeau.

— Avec tout cela, reprit Poirot, notre problème

n'est pas encore résolu. Sommes-nous en mesure d'affirmer avec certitude que nous savons qui a tué Mr Ratchett ?

— Je ne suis pas dans la course, intervint Hardman. Je ne dirai rien du tout. Je suis juste là, à vous admirer. Mais qu'est-ce que vous faites des deux pour lesquelles vous avez pas encore joué aux devinettes ? La vieille dame américaine et la femme de chambre ? Je suppose qu'on peut décréter que, de tout ce train, ce sont les deux seules innocentes ?

— Sauf, sourit Poirot, si nous leur trouvons une petite place dans notre collection comme... je ne sais pas, moi... comme intendante et comme cuisinière de la famille Armstrong...

— Ouais... Y a plus rien en ce bas monde qui pourra me surprendre, maintenant, dit Hardman, du ton d'un homme qui en a trop vu. Une maison de fous !... Voilà ce que c'est !... Une maison de fous !...

— Ah ! mon cher, intervint M. Bouc, cela ferait vraiment trop de coïncidences. Ils ne peuvent quand même pas être tous impliqués dans notre affaire... »

Poirot le regarda.

« Vous ne comprenez pas, dit-il. Vous ne comprenez pas du tout. Dites-moi : savez-vous qui a tué Ratchett ?

— Et vous ? »

Poirot hocha la tête.

« Oh oui ! Il y a un moment que je le sais. C'est tellement évident que je me demandais si vous ne le saviez pas vous aussi. »

Puis il se tourna vers Hardman.

« Et vous ? »

Le détective américain fit signe que non. Étonné, il ne quittait pas Poirot des yeux.

« Je ne sais pas, dit-il. Je ne sais pas du tout. De qui s'agit-il ? »

Poirot garda le silence pendant un moment.

« Mr Hardman, dit-il enfin, voulez-vous être assez gentil pour rassembler tout le monde ici ? Il y a deux solutions à notre problème, et je veux les exposer à chacun. »

9

Poirot avance deux hypothèses

Les passagers arrivèrent bientôt dans le wagon-restaurant et prirent place autour des tables. Ils arboraient tous, à des degrés divers, une même expression, faite d'espoir et d'appréhension. Greta Ohlsson pleurait toujours, et Mrs Hubbard s'était mise en devoir de la réconforter.

« Ma chère, disait-elle, ce qu'il faut, c'est vous secouer un peu. Tout va marcher comme sur des roulettes. L'important, c'est de ne pas perdre ses moyens. Et si c'est l'un de nous qui est l'assassin, tout le monde sait que ça ne peut pas être vous. Il faudrait vraiment être cinglé pour imaginer une chose pareille. Ne bou-

gez pas. Je reste à côté de vous. Et ne vous faites plus de souci. »

Elle se tut comme Poirot se levait.

Le conducteur des Wagons-Lits passa la tête par la porte.

« Me permettez-vous de rester, monsieur ?

— Mais bien sûr, Michel. »

Poirot s'éclaircit la voix :

« Mesdames et messieurs, je m'adresserai à vous en anglais, car je crois comprendre que vous maîtrisez tous plus ou moins cette langue. Nous sommes ici pour examiner les faits et les circonstances entourant la mort de Samuel Edward Ratchett, plus connu sous le nom de Cassetti. Pour savoir qui a commis ce crime, deux hypothèses sont possibles. Je vous les exposerai l'une après l'autre, et je demanderai ensuite à M. Bouc et au Dr Constantine, ici présents, de décider de celle qu'il faut retenir.

» Les faits, vous les connaissez tous. Ce matin, Mr Ratchett a été découvert mort, frappé de nombreux coups de poignard. Il était encore en vie hier soir à minuit 37, heure à laquelle il a parlé à travers sa porte avec le conducteur de notre wagon-lit. Dans la poche de son pyjama, on a trouvé une montre très abîmée, dont les aiguilles étaient arrêtées sur 1 heure et quart. Le Dr Constantine, qui a examiné le corps, estime que l'heure de la mort se situe entre minuit et 2 heures du matin. Vers minuit et demi, comme vous le savez tous, notre train a été bloqué par des congères.

Après cela, *il n'était plus possible à qui que ce soit de quitter le convoi.*

» Selon le témoignage de Mr Hardman, qui appartient à une agence de police privée de New York (plusieurs personnes tournèrent la tête pour mieux voir Hardman), personne n'aurait pu passer devant son compartiment, le numéro 16, tout au bout de la voiture, sans qu'il le voie. Force nous est donc de conclure que le meurtrier doit être recherché parmi les passagers d'un wagon bien particulier. En l'occurrence la voiture Istamboul-Calais.

» Telle *était,* dirais-je, notre version des faits.

— Comment ça *était* ? lança M. Bouc, ébahi.

— Mais je vais vous proposer une version de rechange, poursuivit Poirot sans se laisser interrompre. Elle est très simple. Mr Ratchett avait un ennemi qu'il redoutait. Il en a donné le signalement à Mr Hardman, en précisant qu'il croyait que, si on devait attenter à sa vie, cela se passerait très probablement durant la deuxième nuit après notre départ d'Istamboul.

» Je dois souligner, mesdames et messieurs, que Mr Ratchett en savait certainement bien plus qu'il ne l'a dit. Cet ennemi que Mr Ratchett attendait est monté dans le train à Belgrade ou, plus probablement, à Vincovci, en passant par la porte laissée ouverte par le colonel Arbuthnot et par Mr MacQueen qui étaient descendus sur le quai. Il était muni d'un uniforme des Wagons-Lits, qu'il portait par-dessus ses vêtements ordinaires, et il disposait d'une clef carrée réglementaire qui lui permettait d'entrer dans le compartiment de Mr Ratchett même si la porte était verrouillée. Mr Ratchett avait pris un somnifère. L'homme a frappé Mr Ratchett avec une étonnante férocité, puis il est sorti de son compartiment en passant par la porte de communication avec le compartiment de Mrs Hubbard...

— C'est tout à fait ça, approuva Mrs Hubbard.

— En passant, il a caché le poignard dont il s'était servi dans la trousse de toilette de Mrs Hubbard, et, sans le savoir, il a perdu l'un des boutons de sa tunique d'uniforme. Puis il s'est glissé dans le couloir. À toute vitesse, il a enlevé l'uniforme qu'il a caché dans une valise, dans un compartiment momentanément inoccupé, et, quelques minutes plus tard, habillé comme tout le monde, il est descendu du train juste avant qu'il ne se remette en branle. Il a utilisé la même voie d'accès, c'est-à-dire la porte la plus proche du wagon-restaurant. »

Chacun marqua sa stupéfaction.

« Et qu'est-ce que vous faites de la montre ? demanda Hardman.

— Je vais vous donner mon explication. *Mr Ratchett avait oublié de retarder sa montre d'une heure, comme il aurait dû le faire, à Tzaribrod.* Sa montre était encore réglée sur l'heure d'Europe orientale, qui avance de soixante minutes sur l'heure d'Europe centrale. En fait, *c'est à minuit et quart* que Mr Ratchett a été poignardé, pas à 1 heure et quart.

— Mais cette explication ne tient pas debout ! s'exclama M. Bouc. Il reste cette voix qu'on a entendue dans le compartiment de Ratchett à minuit 37. Et ce ne pouvait être que celle de Ratchett... Ou de son assassin...

— Pas nécessairement. Il se peut que ç'ait été celle d'une troisième personne. Quelqu'un, par exemple, qui serait venu parler à Ratchett et l'aurait trouvé mort. Son premier geste aurait pu être de sonner pour appeler, mais il aurait pu changer d'idée... Il aurait pu prendre peur d'être accusé de la mort de Ratchett et décider de parler en se faisant passer pour lui.

— Ce n'est pas impossible », reconnut M. Bouc de mauvaise grâce.

Poirot se tourna vers Mrs Hubbard.

« Oui, madame, vous vouliez dire quelque chose ?

— Je ne me rappelle plus ce que je voulais dire... Ah ! si... Vous pensez que, moi aussi, j'ai oublié de retarder ma montre ?

— Non, madame. Je pense que vous avez entendu l'homme passer par votre compartiment, mais inconsciemment. Ce n'est que plus tard que, dans votre cauchemar, vous avez vu un homme dans votre compartiment, ce qui vous a réveillée en sursaut. Vous avez alors sonné.

— Oui, je pense que c'est possible, admit Mrs Hubbard.

— Et comment expliquez-vous, monsieur, le témoignage de ma femme de chambre ? interrogea la princesse Dragomirov en regardant Poirot droit dans les yeux.

— Le plus simplement du monde, madame. Votre femme de chambre a reconnu le mouchoir comme étant le vôtre. Elle a, un peu gauchement, essayé de vous protéger. Elle a bien croisé l'homme, mais plus tôt dans la soirée, quand le train était en gare de Vincovci. Elle a prétendu qu'elle l'avait vu une heure plus tard dans l'idée, mal formulée – je vous l'accorde –, de vous fournir un alibi à toute épreuve.

— Vous avez pensé à tout, monsieur. Je... je ne vous cache pas mon admiration », dit la princesse en inclinant la tête.

Il y eut un silence.

Tout le monde sursauta quand le Dr Constantine, tout à coup, frappa du poing sur la table.

« Non, non, non et encore non ! cria-t-il. Cette explication ne tient pas !... Elle pèche sur une bonne douzaine de points. Et le crime n'a pas été commis de cette façon... M. Poirot le sait mieux que personne !... »

Poirot lui jeta un regard amusé.

« Je vois qu'il est temps, dit-il, que je vous soumette ma seconde hypothèse. Mais n'abandonnons pas trop vite la première. Vous la trouverez peut-être plus tard à votre goût. »

Il fit à nouveau face à son auditoire.

« Il y a une deuxième solution à notre problème. Je vais vous dire comment j'y suis arrivé.

» Après avoir entendu tous les témoignages, je me suis allongé, j'ai fermé les yeux et je me suis mis à *réfléchir.* Un certain nombre de points me paraissaient tout à fait dignes d'attention et j'en ai fait part à mes deux collègues. J'ai déjà élucidé quelques mystères, comme cette tache de graisse sur un passeport, et ainsi de suite. Mais je vais un peu m'étendre sur ceux qui restent. Le premier, et le plus important, réside dans une remarque qu'a faite M. Bouc quand nous prenions notre premier déjeuner au wagon-restaurant après notre départ d'Istamboul. Il m'a dit alors qu'on trouvait là un rassemblement très intéressant de gens tout à fait divers, appartenant à toutes les classes sociales, et de toutes nationalités.

» J'en suis tombé d'accord. Mais quand j'ai porté ma réflexion sur ce point, je me suis demandé s'il serait possible d'imaginer d'autres conditions dans lesquelles une compagnie aussi disparate pourrait se trouver réunie. Et, à cette question, j'ai répondu que cela ne serait possible qu'aux États-Unis. Il n'y a qu'en Amérique que l'on puisse trouver une maison où les gens soient de nationalités si différentes : un chauffeur italien, une gouvernante anglaise, une nurse suédoise, une femme de chambre française... Et je pourrais continuer. Cela m'a mené à mon système des devinettes... C'est-à-dire à essayer d'attribuer à chacun un rôle dans l'affaire Armstrong, à la manière d'un metteur en scène qui distribue les rôles dans une pièce. Cela a donné des résultats très intéressants et fructueux.

» J'ai de même revu en pensée chacun des témoignages et, là aussi, les résultats ont été étonnants. Prenons, pour commencer, le témoignage de Mr MacQueen. La première fois que j'ai parlé avec lui, il n'y a eu aucun problème. Mais, la seconde fois, il a fait une remarque qui m'a étonné. Je lui disais que nous avions trouvé un papier qui faisait allusion à l'affaire Armstrong. Il m'a dit : "Mais voyons, elle a pourtant bien...", puis il a marqué une pause très nette avant de poursuivre : "Enfin je veux dire... quelle maladresse de la part de ce vieux schnock."

» J'ai le sentiment, maintenant, que ce n'était pas ce qu'il avait commencé à dire. *Supposons un instant que ce qu'il avait eu envie de dire soit : "Mais voyons, elle a pourtant bien été brûlée !"* Auquel cas MacQueen connaissait l'existence de cette lettre et savait qu'on l'avait détruite... En d'autres termes, il était soit l'assassin, soit son complice. Bon...

» Passons au valet de chambre. Il m'a dit que son patron avait l'habitude de prendre un somnifère quand il voyageait par le train. Peut-être est-ce vrai, *mais Ratchett l'aurait-il fait la nuit dernière* ? La présence d'un automatique sous son oreiller apporte un démenti formel à la déclaration du valet de chambre. Ratchett avait bien l'intention de rester sur ses gardes, cette nuit. Par conséquent, le somnifère lui a été administré sans qu'il le sache. Et par qui ? Bien évidemment par MacQueen ou par son valet de chambre.

Venons-en au témoignage de Mr Hardman. J'ai cru tout ce qu'il m'a dit de son identité et de sa profession. Mais en ce qui concerne sa méthode pour assurer la protection de Mr Ratchett, son histoire n'a ni queue ni tête. Il n'y avait qu'une manière de protéger efficacement Mr Ratchett : passer la nuit dans son compartiment, ou s'installer à un endroit d'où l'on verrait la porte du compartiment en permanence. Le seul élément que démontrait sans conteste le témoignage de Hardman, c'est que *personne venant d'une autre partie du train n'aurait pu tuer Ratckett.* C'est comme si on avait tracé une frontière autour de la voiture Istamboul-Calais. J'ai jugé ce fait étonnant et inexplicable, et j'ai décidé d'y réfléchir à nouveau plus tard.

» Je pense que vous êtes tous au courant de la conversation que j'ai surprise entre miss Debenham et le colonel Arbuthnot. Ce qui m'intéressait, c'est que le colonel l'appelait par son prénom, Mary, et qu'il était bien évidemment l'un de ses intimes. Mais le colonel était censé ne l'avoir rencontrée que quelques jours auparavant... Et je connais bien les Anglais de l'espèce du colonel. À supposer même qu'il ait eu le coup de foudre pour la jeune femme, il n'en aurait pas moins respecté toutes les formes et convenances d'usage... Sans rien brusquer. J'en ai conclu qu'en réalité, le colonel Arbuthnot et miss Debenham se connaissaient bien et avaient un motif sérieux pour faire croire qu'ils étaient étrangers l'un à l'autre. Un autre point a été la connaissance qu'avait miss Debenham de l'expression "longue distance" pour un appel téléphonique. Et elle m'avait cependant affirmé qu'elle n'était jamais allée aux États-Unis.

» Et encore un autre témoin. Mrs Hubbard nous a dit que, de son lit, elle ne pouvait pas voir si la porte de communication était verrouillée, et qu'elle avait demandé à miss Ohlsson de vérifier. Ces propos auraient été parfaitement véridiques si elle avait occupé les compartiments 2, 4 ou 12, ou n'importe quel numéro *pair* – où le verrou se trouve sous la poignée de la porte... Mais, dans les compartiments impairs, le verrou se trouve nettement au-dessus de la poignée, et ne risque donc pas d'être masqué par une trousse de toilette. J'en ai été forcé de conclure que Mrs Hubbard était en train d'inventer un incident qui n'avait pas eu lieu.

» Et maintenant, je dois vous donner quelques indications à propos des *heures*. À mon avis, en ce qui concerne la montre, ce qui était intéressant, c'était l'endroit où nous l'avions trouvée... Dans la poche du pyjama de Ratchett. Vous reconnaîtrez que placer sa montre là pour la nuit, c'est à la fois singulier et inconfortable, et d'autant moins plausible qu'à la tête du lit, il y a justement un crochet pour suspendre une montre de gousset. J'ai eu, par conséquent, la certitude que la montre avait été mise là délibérément, et que l'heure indiquée était fausse... Et que le crime, évidemment, n'avait pas été commis à 1 heure et quart.

» Est-ce à dire que cela s'est passé plus tôt ? Plus précisément à minuit 37 ? Mon ami M. Bouc a considéré que le cri qui m'a tiré de mon sommeil constituait un argument en faveur de cette thèse. Mais si on avait fait prendre à Ratchett une grande quantité de somnifère, il se trouvait dans l'impossibilité de pousser ne serait-ce qu'un gémissement. S'il avait pu crier, il aurait pu se débattre pour se défendre, et tout indique qu'il ne s'est pas débattu.

» Je me suis souvenu que MacQueen avait attiré mon attention, non pas une fois, mais deux – et la seconde fois, d'une manière presque éhontée... –, sur le fait que Ratchett ne parlait pas français. J'en ai tiré la conclusion que tout ce qui s'est passé à minuit 37 n'était qu'une comédie jouée à mon seul bénéfice !... N'importe qui peut voir clair dans l'histoire de la montre. Ça se trouve dans tous les romans policiers... On a donc supposé que *je ne m'y laisserais pas prendre* et que, me félicitant de ma belle intelligence, je supposerais que, puisque Ratchett ne parlait pas français, la voix que j'avais entendue à 1 heure moins 23 ne pouvait pas être la sienne et que Ratchett, en fait, était déjà mort. J'ai cependant la conviction qu'à cette heure-là, Ratchett dormait encore de son sommeil de drogué.

» Mais le truc avait fonctionné ! J'avais ouvert la porte de mon compartiment pour regarder. J'avais bel et bien entendu la phrase en français. Et si j'étais bête au point de ne pas comprendre ce qu'elle sous-entendait, on me mettrait les points sur les *i.* En cas de nécessité, MacQueen sortirait du bois. Il me dirait, par exemple : "Pardonnez-moi, monsieur Poirot, mais *cela ne peut pas avoir été la voix de Mr Ratchett.* Il ne parlait pas un mot de français..."

» Alors, à quelle heure le crime a-t-il été commis ? Et qui est l'assassin ?

» Mon opinion – et ce n'est qu'une opinion... – est que Ratchett a été tué très peu avant 2 heures du matin, à l'extrémité de la fourchette de temps que le docteur a établie.

» Quant au meurtrier... »

Poirot marqua un temps d'arrêt et toisa son auditoire. Il ne pouvait certes pas déplorer un manque d'attention. Tous les yeux étaient fixés sur lui. Dans le silence, on aurait entendu la chute d'une feuille morte.

Il reprit, lentement :

« J'ai été particulièrement frappé par la difficulté qu'il y avait à essayer d'impliquer chaque personne, individuellement, et aussi par les extraordinaires coïncidences qui faisaient que, dans chaque cas, le témoignage apportant un alibi était fourni par ce que j'appellerai la personne la plus improbable. C'est ainsi que le colonel Arbuthnot et MacQueen se portent garants l'un pour l'autre... Alors qu'il s'agit de deux hommes dont on ne peut imaginer qu'ils se soient déjà rencontrés. Et c'est pareil pour le valet de chambre et pour l'Italien, pour la dame suédoise et la jeune femme anglaise. Je me suis donc dit : "C'est incroyable. Ils ne peuvent quand même pas être *tous* dans le coup !"

» Et c'est alors, mesdames et messieurs, qu'est venue la lumière. Ils étaient bel et bien tous dans le coup. Trouver dans le même train, au même moment, tant de gens mêlés à l'affaire Armstrong, ce n'était pas seulement une coïncidence hautement improbable. C'était tout bonnement *impossible.* Ce ne pouvait pas être l'effet du hasard, c'était voulu. Et je me suis alors souvenu d'une remarque du colonel Arbuthnot sur les procès d'assises avec un jury. Un jury se compose de douze personnes... Et j'avais sous la main douze passagers... Et Ratchett avait reçu douze coups de poignard... Et d'un coup, ce qui n'avait cessé de me poser problème – cette foule de gens allant d'Istamboul à Calais à une période aussi creuse – trouvait son explication.

» Aux États-Unis, Ratchett avait réussi à échapper à la justice. Sa culpabilité ne faisait pas de doute. J'ai imaginé un jury auto-sélectionné de douze personnes qui l'auraient condamné à mort et qui seraient contraintes par les circonstances d'être aussi les bourreaux. Et, mesdames et messieurs, grâce à cette supposition toute simple, mon enquête est devenue facile, et tout s'est mis en place.

» C'est une mosaïque parfaite. Chacun joue le rôle qui lui a été attribué. Et cela a été conçu de telle sorte que, si les soupçons se portent sur l'un, il s'en trou-

vera aussitôt un autre, ou plusieurs, pour l'innocenter et compliquer encore davantage les choses. Le témoignage de Hardman était fondamental si quelqu'un de l'extérieur devenait suspect et ne pouvait fournir d'alibi convaincant. Les passagers de la voiture Istamboul-Calais ne couraient aucun risque. Les plus infimes détails de leurs témoignages avaient été combinés longtemps à l'avance. L'ensemble constituait un puzzle remarquablement agencé, et conçu de telle sorte que tout élément que l'enquête mettrait au jour ne ferait que compliquer le problème. Comme le remarquait mon ami M. Bouc, toute cette affaire paraissait relever de la fantasmagorie. Et c'était bien le but recherché.

» Est-ce que cette hypothèse répond à toutes les

questions ? Oui, absolument. Les différences entre les blessures ? Elles sont chacune le fait d'une personne différente. Les lettres de menace ? Elles sont artificielles, puisqu'elles n'ont été écrites que pour servir de preuve... Je ne doute pas que Ratchett ait reçu de vraies lettres l'avertissant du sort qui l'attendait, mais MacQueen les a détruites et les a remplacées par ces faux. L'histoire de Hardman sur son engagement par Ratchett ? C'est un mensonge, de A à Z, sans parler du signalement mythique du "petit homme brun à la voix haut perchée", qui est d'autant plus commode qu'il ne s'applique à aucun des conducteurs des Wagons-Lits, mais qu'il peut désigner aussi bien un homme qu'une femme.

» À première vue, l'emploi du poignard paraît étonnant. Mais, à y bien réfléchir, l'arme se prête admirablement à la circonstance. N'importe qui, quelle que soit sa force physique, peut utiliser un poignard... Et c'est une arme qui ne fait pas de bruit. Bien que je puisse me tromper, j'imagine que chaque personne est entrée à son tour dans le compartiment de Ratchett en passant par celui de Mrs Hubbard, et a frappé !... Et nul ne saurait jamais qui a vraiment porté le coup mortel.

» L'ultime lettre, que Ratchett avait sans doute trouvée sur son oreiller, a été brûlée avec soin. Si aucun indice n'avait remis sur le tapis l'affaire Armstrong, il n'y aurait eu aucune raison pour soupçonner l'un ou l'autre des passagers. On aurait pensé que le crime était l'œuvre de quelqu'un venu du dehors, et je ne doute pas qu'un témoin – ou plusieurs – aurait juré avoir vu notre petit homme brun à la voix haut perchée descendre du train à Brod.

» Je ne sais pas au juste ce qui a pu se passer quand on s'est aperçu que cette partie du plan ne fonctionnait plus, à cause du blocage par la neige. J'imagine qu'il y a eu des conciliabules hâtifs, et qu'on a décidé d'aller de l'avant. Chacun courait maintenant le risque de devenir suspect, mais cela avait été prévu, et on en avait tenu compte. Mais on a raffiné pour compliquer encore un peu les choses. Deux prétendus indices ont été abandonnés dans le compartiment de Ratchett. Le premier désignait le colonel Arbuthnot, qui disposait de l'alibi le plus solide, et dont les liens avec la famille Armstrong étaient sans doute les plus difficiles à établir. L'autre conduisait à la princesse Dragomirov qui, par sa position sociale, son extrême fragilité physique, et grâce aux alibis fournis par sa femme de chambre et par le conducteur, paraissait vraiment inattaquable. Et pour que ce soit plus complexe encore, on a ouvert une fausse piste : celle de la femme au kimono rouge. Là aussi, je puis moi-même porter témoignage. Il y a eu un grand bruit contre ma porte. Je sors, je regarde, et je vois le kimono écarlate disparaître dans le lointain du wagon. Et il se trouvera un choix judicieux de témoins – le conducteur, miss Debenham et MacQueen – qui l'auront vu, eux aussi. Je pense que celui qui a mis le kimono rouge sur le dessus de ma valise pendant que je menais les interrogatoires a un beau sens de l'humour. D'où vient ce vêtement ? Je l'ignore. Mais, à première vue, je pencherais pour la comtesse Andrenyi, dont les bagages ne renferment qu'un déshabillé de mousseline si élégant que c'est plus une robe d'après-midi qu'une robe de chambre.

» Quand MacQueen a su que la lettre qui avait été brûlée avec tant de soin avait, en partie, échappé à la destruction, et que le nom d'Armstrong avait pu être déchiffré, il a sans aucun doute averti immédiatement les autres. C'est à ce moment précis que la situation de la comtesse Andrenyi est devenue très difficile et que son mari s'est mis en devoir de maquiller son passeport. Ils jouaient de malchance pour la seconde fois !...

» Comme un seul homme, ils ont décidé de nier froidement tout lien avec la famille Armstrong. Ils savaient que je n'avais aucun moyen de découvrir la vérité sur place, et ils pensaient que je ne chercherais pas plus avant, sauf si mes soupçons se portaient sur une personne en particulier.

» Il nous reste un dernier point à aborder. En admettant que mon hypothèse soit la bonne – et je suis *convaincu* qu'elle l'est... –, il faut bien évidemment que le conducteur fasse partie des conjurés. Mais, si c'est le cas, nous en arrivons à treize personnes, non plus à douze. Au lieu de la formulation classique : "Il y a un nombre *x* de gens, et un seul est coupable", je devais faire face à un problème où il n'y avait qu'un seul innocent parmi treize individus. Qui était cet innocent ?

» Je suis parvenu à une conclusion qui peut paraître bizarre. J'ai, en effet, conclu que la seule personne qui n'avait pas participé au crime était celle qui paraissait la plus probable. Je parle là de la comtesse Andrenyi. J'ai été impressionné par la gravité de son mari quand il m'a juré solennellement, sur son honneur, qu'elle n'avait pas quitté son compartiment pendant la nuit. J'ai décidé que le comte Andrenyi avait, si j'ose dire, pris la place de sa femme.

» Dans ce cas, Pierre Michel faisait partie des douze. Mais qu'est-ce qui justifie sa complicité ? C'est un homme honorable, au service de la Compagnie des wagons-lits depuis de longues années... Certainement pas le genre d'homme que l'on puisse corrompre pour prêter main-forte à un assassinat. Par conséquent, Pierre Michel, lui aussi, avait un lien avec l'affaire Armstrong. Je ne voyais pas lequel. Et puis je me suis souvenu que la bonne d'enfants qui s'est suicidée était française... Et j'ai supposé que cette malheureuse jeune fille pouvait avoir été la fille de Pierre Michel. Et cela expliquait tout... Y compris le lieu choisi pour commettre le meurtre. Restait-il, dans notre scénario, des rôles non attribués ? J'ai estimé que le colonel Arbuthnot était un ami personnel du colonel Armstrong, qu'ils avaient fait la guerre ensemble. En ce qui concerne Hildegarde Schmidt, la femme de chambre, je n'ai pas eu trop de peine à deviner sa place chez les

Armstrong. On peut m'accuser de gourmandise, mais, d'instinct, je décèle une bonne cuisinière. Je lui ai tendu un petit piège... Et elle y est tombée. Je lui ai dit que j'étais sûr qu'elle était un vrai cordon-bleu et elle m'a répondu : “Oui, c'est vrai. Toutes mes patronnes me l'ont dit.” Mais, quand on n'est que *femme de chambre,* on n'a pas souvent l'occasion de démontrer ses talents culinaires...

» Restait Hardman. Je ne voyais pas ce qu'il pouvait bien faire chez les Armstrong. Mais j'ai imaginé qu'il était amoureux de la jeune Française. Je lui ai parlé du charme des femmes d'autres pays... Et, là aussi, j'ai obtenu la réaction que j'attendais. Il en a eu les larmes aux yeux, et il a essayé de me faire croire que c'était la neige qui l'avait ébloui.

» Et terminons avec Mrs Hubbard. Je peux bien le dire maintenant : Mrs Hubbard a joué le premier rôle. Puisqu'elle occupait le compartiment adjacent à celui de Ratchett, elle était plus vulnérable aux soupçons. Et la nature des choses faisait qu'elle ne pouvait pas avoir un alibi très solide. Pour tenir le rôle qu'elle a joué – celui de la mère américaine un peu envahissante, complètement naturelle, et un tantinet ridicule –, il fallait une artiste de talent. Mais il y avait une artiste de ce gabarit dans la famille Armstrong... La propre mère de Mrs Armstrong... L'actrice Linda Arden. »

Poirot s'arrêta.

Et une voix profonde, aux multiples intonations, sortit de la bouche de Mrs Hubbard :

« J'avais toujours rêvé de tenir des rôles de comédie... »

Elle poursuivit, songeuse :

« Nous avons commis une erreur idiote dans notre histoire de trousse de toilette. Cela démontre, une fois de plus, qu'il faut toujours tout répéter à fond. Nous avions fait l'essai au voyage aller. J'imagine que j'étais dans un compartiment pair. Je n'ai jamais pensé que les verrous puissent être placés différemment. »

Elle se redressa et fixa Hercule Poirot.

« Vous avez tout compris, monsieur Poirot. Vous êtes un homme exceptionnel. Mais essayez d'imaginer ce qu'a été ce jour épouvantable, là-bas, à New York. J'étais folle de chagrin... Et les domestiques aussi... Et puis le colonel Arbuthnot, qui était là, également. C'était le meilleur ami de John Armstrong.

— Pendant la guerre, il m'avait sauvé la peau, précisa le colonel.

— C'est ce jour-là que nous avons décidé... – nous étions tous fous, peut-être, je ne sais pas... – qu'il fallait exécuter la sentence de mort à laquelle Cassetti avait échappé. Nous étions douze... Onze, en réalité, puisque le père de Suzanne était en France... D'abord, nous avons pensé à tirer au sort celui qui serait chargé de la besogne, mais finalement, nous avons décidé d'agir comme nous l'avons fait. C'est Antonio, le chauffeur, qui a proposé cette idée. Mary a ensuite mis au point tous les détails avec Hector MacQueen. Il avait toujours adoré Sonia – ma fille –, et c'est lui qui nous a expliqué comment Cassetti, grâce à son argent, avait pu s'en tirer.

» Il nous a fallu beaucoup de temps pour que notre plan soit parfait. Il fallait d'abord retrouver la trace de Ratchett. Hardman y est parvenu. Il a fallu ensuite se débrouiller pour que Hector et Masterman – ou l'un des deux, au moins – entrent à son service. Eh bien, nous y sommes parvenus. À ce moment-là, nous avons discuté avec le père de Suzanne. Le colonel Arbuthnot insistait beaucoup pour que nous soyons douze. Cela lui paraissait plus conforme à l'ordre établi. Le poignard ne le tentait pas vraiment, mais il a reconnu que c'était la solution de bien des problèmes... Le père de Suzanne était partant : Suzanne était sa fille unique. Nous savions, par Hector, que, tôt ou tard, Ratchett reviendrait en Europe par l'Orient-Express. Comme Pierre Michel travaillait sur ce train, l'occasion était trop belle... Et, en plus, ce serait un bon moyen pour n'impliquer personne de l'extérieur.

» Naturellement, il fallait mettre au courant le mari de ma fille et il a insisté pour l'accompagner. Hector s'est débrouillé pour que Ratchett choisisse pour son voyage un jour où Pierre Michel serait de service. Nous avions l'intention de retenir tous les compartiments de la voiture Istamboul-Calais, mais, malheureusement, il y a un compartiment que nous n'avons pas pu obtenir. Il était retenu de longue date pour l'un des directeurs de la Compagnie. Mr Harris, cela va de soi, n'a jamais existé... Mais nous ne pouvions pas prendre le risque d'avoir un inconnu dans le compartiment d'Hector... Et puis, à la toute dernière minute, vous êtes arrivé... »

Linda Arden prit le temps d'une pause.

« Voilà, monsieur Poirot. Vous savez tout. Qu'allez-vous faire ? S'il n'y a pas d'autre solution, pourquoi ne pas me mettre tout sur le dos ? J'aurais volontiers donné à cet individu douze coups de poignard... Pas seulement parce qu'il était coupable de la mort de ma fille, de son enfant, et de ce bébé que nous attendions et qui serait heureux aujourd'hui... C'était plus que cela... Avant Daisy, il y avait eu d'autres enfants... Et il y en aurait peut-être eu d'autres après... La société l'avait condamné. Nous avons seulement exécuté le verdict... Mais est-il vraiment nécessaire que tant de gens de bien soient impliqués ?... Ce pauvre Michel... Et Mary et le colonel Arbuthnot... qui s'aiment... »

La voix de la tragédienne résonnait subtilement dans le wagon-restaurant... Cette voix profonde, riche en nuances, qui avait bouleversé tant de fois le public de Broadway...

Poirot regarda ses compagnons.

« Monsieur Bouc, dit-il, vous êtes l'un des directeurs de la Compagnie. Qu'en pensez-vous ?

— À mon avis, monsieur Poirot, dit-il après s'être raclé la gorge, la première hypothèse que vous nous avez présentée était la bonne. J'en suis certain. Je propose que vous la soumettiez à la police yougoslave dès qu'elle fera son apparition. Partagez-vous mon avis, docteur ?

— Je suis entièrement d'accord, souligna le Dr Constantine. Du point de vue de la médecine légale, je crois que j'ai pu... euh... me laisser aller à émettre des suppositions mal fondées...

— Dans ces conditions, conclut Poirot, après avoir soumis mon hypothèse à votre approbation, j'ai l'honneur de me dessaisir du dossier... »

Pour faire un roman policier célèbre, voici les ingrédients nécessaires : une unité de lieu (un train arrêté en pleine voie pour cause de tempête de neige), une unité de temps (quelques heures du voyage Istanbul-Paris), une unité d'action (le meurtre d'un passager). C'est tout ? Bien sûr que non ! Car toute la réussite tient dans d'infinis et infimes détails que seule Agatha Christie, celle qui sera sacrée « Dame of the British Empire », sait concocter. D'abord, l'unité de lieu semble exploser : les passagers, y compris Hercule Poirot, l'enquêteur belge qui parle plusieurs langues, sont tous de nationalités différentes. Ensuite, l'unité d'action se resserre : les passagers sont tous impliqués dans le meurtre pour une terrible raison de vengeance. Et ce sont en fait deux affaires en une, en quelque sorte, qui sont racontées au lecteur : celle que Poirot doit résoudre, et celle qui bouleversera les passagers au point qu'ils décidèrent de manigancer ce meurtre. Et voilà que l'unité de temps est mise à mal à son tour : enfermés durant quelques heures dans le train avec les passagers, nous sommes plongés plusieurs années en arrière, en voyageant avec eux au fil du récit de leurs souvenirs. Agatha Christie complexifie à plaisir une affaire tortueuse, elle joue avec nous ! Tout comme Hercule Poirot, qui se régale d'une affaire qui fait exclusivement appel à l'intelligence : on sent que la grande dame anglaise avait pour son célèbre détective une grande sympathie. Depuis 1920, où il apparaît pour la première fois dans *La mystérieuse affaire de Styles,* jusqu'à sa mort en 1976, il lui a bien souvent tenu compagnie, dans bon nombre des soixante-dix romans policiers qu'elle a écrits. Son dernier roman s'intitule *Poirot quitte la scène*, et le détective y trouve la mort. Ultime clin d'œil à l'existence...

AGATHA CHRISTIE (1890-1976)

Agatha Christie, l'une des gloires du roman policier britannique, est née d'un père américain et d'une mère anglaise. Elle signe ses livres du nom de son premier mari, même après son divorce et son remariage avec un archéologue dont elle partagera les travaux. Elle a inventé, dit-on, son premier « mystère » en 1920, pour éprouver la perspicacité de sa sœur, grande lectrice de romans policiers. À sa mort, elle laissera plus de cent romans et pièces de théâtre : trois cents millions d'exemplaires en cent langues différentes – sans compter quelques histoires sentimentales publiées sous un pseudonyme.

TABLE

PREMIÈRE PARTIE : LES FAITS

1. Un passager de marque sur le Taurus-Express 9
2. L'hôtel Tokatlia 25
3. Poirot décline une offre 39
4. Un hurlement dans la nuit 53
5. Le crime 61
6. Une femme ? 81
7. Le cadavre 93
8. L'enlèvement de Daisy Armstrong 109

DEUXIÈME PARTIE : TÉMOIGNAGES ET INDICES

1. Le témoignage du conducteur du wagon-lit 117
2. Le témoignage du secrétaire 127
3. Le témoignage du valet de chambre 135
4. Le témoignage de la dame américaine 145
5. Le témoignage de la Suédoise 159
6. Le témoignage de la princesse russe 169
7. Le témoignage du comte et de la comtesse Andrenyi 181
8. Le témoignage du colonel Arbuthnot 191
9. Le témoignage de Mr Hardman 205
10. Le témoignage de l'Italien 217
11. Le témoignage de miss Debenham 225
12. Le témoignage de la femme de chambre allemande 235
13. Résumé des témoignages des passagers 247
14. L'arme du crime parle 261
15. Armes et bagages 273

TROISIÈME PARTIE : POIROT PREND DU RECUL

1. Lequel ? 299
2. Dix questions 313
3. Quelques sujets de réflexion 323
4. Une tache de graisse sur un passeport hongrois 337

5. Le prénom de la princesse Dragomirov 347
6. Second entretien avec le colonel Arbuthnot 357
7. L'identité de Mary Debenham 363
8. Autres révélations surprenantes 371
9. Poirot avance deux hypothèses 381

Si vous avez aimé ce livre, vous aimerez aussi dans la collection Le Livre de Poche Jeunesse :

A.B.C. contre Poirot
Agatha Christie
Traduit de l'anglais par Louis Postif
L'assassin méthodique annonce ses crimes par ordre alphabétique. Si Hercule Poirot ne s'en mêle, ira-t-il jusqu'à Z ?
11 ans et +
N° 67

Le chien des Baskerville
Sir Arthur Conan Doyle
Traduit de l'anglais par Bernard Tourville
L'héritier des Baskerville est retrouvé mort. Doit-on accuser ce chien démoniaque qui rôde sur la lande ?
11 ans et +
N° 515

Le gang du métro
Jean-Paul Gourévitch
Sur les quais du métro parisien, les voyageurs découvrent jour après jour, que les noms des stations perdent mystérieusement des lettres. Vandalisme gratuit ? Les médias braquent leurs projecteurs sur les jeunes de banlieue.
13 ans et +
N° 717

Barbès Blues
Gudule
Véra accepte de cacher l'ordinateur volé par son petit ami. Mais lorsqu'elle découvre qu'il contient un roman policier inachevé, la jeune fille va tout entreprendre pour retrouver son auteur.
12 ans et +
N° 750

Les douze pendules de Théodule
Alfred Hitchcock
Traduit de l'anglais par Jean Muray
Un réveil qui hurle d'une voix déchirante, des messages énigmatiques, des tableaux volés...
10 ans et +
N° 76

Le perroquet qui bégayait
Alfred Hitchcock
Traduit de l'anglais par Vladimir Volkoff
Un perroquet nommé Shakespeare qui bégaie... Une énigme parmi d'autres sombres affaires à élucider par les Jeunes Détectives !
10 ans et +
N° 57

Arsène Lupin, gentleman cambrioleur
Maurice Leblanc
Voleur aux cent visages, le gentleman cambrioleur est insaisissable !
10 ans et +
N° 29

Arsène Lupin. L'aiguille creuse
Maurice Leblanc
Un homme blessé disparaît. Est-ce Arsène Lupin ? La nièce d'un comte disparaît également. Pourquoi ? Un lycéen surdoué mène l'enquête.
10 ans et +
N° 151

Le mystère de la chambre jaune
Gaston Leroux
Comment Mathilde, la fille du célèbre Stangerson, a-t-elle pu être agressée alors qu'elle s'était enfermée dans sa chambre verrouillée de l'intérieur ?
10 ans et +
N° 1146

Les otages de Gutenberg Les mousquetaires du 21e siècle (tome 1)
Chantal Pelletier, Claude Pujade-Renaud, Daniel Zimmermann
Quelque chose de louche se trame à la Bibliothèque Nationale de France. Alors que leurs soupçons s'éveillent, quatre jeunes lecteurs sont pris en otage par des cambrioleurs convoitant la fameuse Bible de Gutenberg. A eux de déjouer leur plan. Un pour tous, tous pour un !
12 ans et +
N° 710

Atomes crochus Les mousquetaires du 21e siècle (tome 2)
Chantal Pelletier, Claude Pujade-Renaud, Daniel Zimmermann
La centrale nucléaire de Penly, près de Dieppe est l'objet d'un chantage à la guerre atomique. Nos quatre Mousquetaires des temps modernes vont tenter le tout pour le tout pour mettre en échec le plan des terroristes.
12 ans et +
N° 736

Un mort encombrant
Robert Louis Stevenson
Traduit de l'anglais par Pierre Leyris
La sombre mais très drôle histoire d'un héritage escompté, d'un cadavre encombrant qui passe de main en main... et qui n'est pas le bon !
11 ans et +
N° 497

Composition JOUVE - 53100 Mayenne
N° 296817f
Imprimé en Italie par G. Canale & C. S.p.A. - Borgaro T.se (Turin)
Dépôt éditeur n° 68749
32.10.1892.2/07 - ISBN : 2.01.32.1892.3
Loi n° 49-956 du 16 juillet 1949 sur les publications destinées à la jeunesse
Dépôt légal : février 2006